日本語能力試験 完全模試 シリーズ

ゼッタイ合格！
日本語能力試験 完全模試
N1

Japanese Language Proficiency Test N1—Complete Mock Exams
日语能力考试　完全模拟试题　N1
일본어능력시험　완전모의고사　N1

藤田朋世／菊池富美子／日置陽子／渡部真由美／青木幸子／
水野沙江香／塩川絵里子／渕上真由美／久芳里奈／久木元恵●共著

Jリサーチ出版

はじめに

　本書は、日本語能力試験のN1からN5のレベルのうち、N1の試験対策を目的に、3回分の模擬試験を用意しました。
　本書の特徴は、問題数が豊富であることです。模擬試験が3回分収録されていますから、試験直前にとにかくたくさん問題を解きたいという場合に使うことはもちろん、試験の傾向を知るために1回、少し勉強してから1回、試験直前に1回といった使い方をすることもできます。本書を使って本番と同じ形式の問題を3回解いてみれば、試験の特徴は十分につかめるでしょう。
　また、本書では、あまり時間がない中でも必要な試験対策がとれるよう、解説を工夫しました。問題を解いて答えの正誤を知るだけでなく、効率よく、正解を導くためのポイントを学んだり、今まで学んできた知識を整理したりできるようになっています。
　N1に合格するためには、幅広い日本語の知識とそれを適切に運用する力が求められます。本書を使って繰り返し学習することによって、弱いところや苦手なところを補強し、日本語能力の向上を目指してください。
　本書がN1合格を目指す皆さんのお役に立てることを願っています。

著者一同

もくじ

はじめに ・・・・・・・・・・・・・・・・・・・・・・・・・・・・・・・・・・・・ 2

この本の使い方 ・・・・・・・・・・・・・・・・・・・・・・・・・・・・・ 4

「日本語能力試験 N1」の内容 ・・・・・・・・・・・・・・・・・ 5

模擬試験 第1回 解答・解説 ・・・・・・・・・・・・・・・・ 13
模擬試験 第2回 解答・解説 ・・・・・・・・・・・・・・・・ 39
模擬試験 第3回 解答・解説 ・・・・・・・・・・・・・・・・ 65

採点表 ・・・・・・・・・・・・・・・・・・・・・・・・・・・・・・・・・・・・ 92

付録「試験に出る重要語句・文型リスト」 ・・・・・・・・ 95

〈別冊〉
模擬試験 第1回 問題 ・・・・・・・・・・・・・・・・・・・・ 1
模擬試験 第2回 問題 ・・・・・・・・・・・・・・・・・・・・ 43
模擬試験 第3回 問題 ・・・・・・・・・・・・・・・・・・・・ 85

解答用紙 ・・・・・・・・・・・・・・・・・・・・・・・・・・・・・・・・・ 127

この本の使い方

〈この本の構成〉

- 模擬試験は全部で3回あります。
- 問題と解答用紙は付属の別冊に、解答・解説はこちらの本冊に収めてあります。
- 聴解用のCDは各回に1枚ずつ、計3枚あります。

〈この本の使い方〉

① 3回の模擬試験は（一度に続けてではなく）、それぞれ決められた時間にしたがって別々にしてください。

※ 解答用紙は切り取るか、コピーをして使ってください。

※ 「言語知識（文字・語彙・文法）／読解」では、解答にかける時間について目標タイムを設け、大問ごとに表示しています。参考にしながら解答してください。

② 解答が終わったら、「解答・解説」を見ながら答え合わせをしましょう。間違ったところはよく復習しておいてください。

※ 解説や付録の「試験に出る重要語句・文型リスト」を活用しましょう。

③ 次に、採点表（p.92～93）を使って採点をして、得点を記入してください。得点結果をもとに、力不足のところがないか、確認してください。得点の低い科目があれば、重点的に学習しましょう。

「日本語能力試験 N1」の内容

1. N1のレベル

幅広い場面で使われる日本語を理解することができる。

読む
- さまざまな分野のさまざまな話題の文章を読んで理解することができる。
- 新聞の論説＊や評論＊など、論理構成がやや複雑な文章や抽象的な内容の文章などを読んで、文章の構成や内容を理解することができる。
  - ＊論説：あるテーマ・問題について、順序よく意見を述べたり解説したりすること
  - ＊評論：物事の長所・短所を取り上げながら、評価を述べること
- 内容に深みのある文章を読んで、話の流れや細かい表現意図を理解することができる。

聞く
- 幅広い場面において、自然なスピードの会話やニュース、講義を聞いて、話の流れや内容、登場人物＊の関係、内容の論理構成などを詳しく理解し、要旨をつかむことができる。
  - ＊登場人物：話の中に出てくる人

2. 試験科目と試験時間

- 「言語知識」と「読解」は同じ時間内に、同じ問題用紙、同じ解答用紙で行われます。自分のペースで解答することになりますので、時間配分に注意しましょう。

	言語知識（文字・語彙・文法）・読解	聴解
時間	110分	60分

3. 合否（＝合格・不合格）の判定

- 「総合得点」が「合格点」に達したら、合格になります。確実に6〜7割の得点が得られるようにしましょう。

- 「得点区分別得点」には「基準点」が設けられています。「基準点」に達しなければ、「総合得点」に関係なく、不合格になります。苦手な科目をつくらないようにしましょう。

	言語知識（文字・語彙・文法）	読解	聴解	総合得点	合格点
得点区分別得点	0〜60点	0〜60点	0〜60点	0〜180点	100点
基準点	19点	19点	19点		

4．日本語能力試験 N1 の構成

		大問	小問数	ねらい
言語知識（文字・語彙・文法）・読解（110分）	文字・語彙	1 漢字読み	6	漢字で書かれた語の読み方を問う。
		2 文脈規定	7	文脈によって意味的に規定される語が何であるかを問う。
		3 言い換え類義	6	出題される語や表現と意味的に近い語や表現を問う。
		4 用法	6	出題語が文の中でどのように使われるのかを問う。
	文法	5 文の文法1（文法形式の判断）	10	文の内容に合った文法形式かどうかを判断することができるかを問う。
		6 文の文法2（文の組み立て）	5	統語的に正しく、かつ、意味が通る文を組み立てることができるかを問う。
		7 文章の文法	5	文章の流れに合った文かどうかを判断することができるかを問う。
	読解	8 内容理解（短文）	4	生活・仕事などいろいろな話題も含め、説明文や指示文など200字程度のテキストを読んで、内容が理解できるかを問う。
		9 内容理解（中文）	9	評論、解説、エッセイなど500字程度のテキストを読んで、因果関係や理由などが理解できるかを問う。
		10 内容理解（長文）	4	解説、エッセイ、小説など1000字程度のテキストを読んで、概要や筆者の考えなどが理解できるかを問う。
		11 統合理解	2または3	複数のテキスト（合計600字程度）を読み比べて比較・統合しながら理解できるかを問う。
		12 主張理解（長文）	4	社説、評論など抽象性・論理性のある1000字程度のテキストを読んで、全体として伝えようとしている主張や意見がつかめるかを問う。
		13 情報検索	2	広告、パンフレット、情報誌、ビジネス文書などの情報素材（700字程度）の中から必要な情報を探し出すことができるかを問う。
聴解（60分）		1 課題理解	6	まとまりのあるテキストを聞いて、内容が理解できるかどうかを問う。
		2 ポイント理解	7	まとまりのあるテキストを聞いて、内容が理解できるかどうかを問う。
		3 概要理解	6	まとまりのあるテキストを聞いて、内容が理解できるかどうかを問う。
		4 即時応答	14	質問などの短い発話を聞いて、適切な応答が選択できるかを問う。
		5 統合理解	4	長めのテキストを聞いて、複数の情報を比較・統合しながら、内容が理解できるかを問う。

※ 小問数は予想される数で、実際にはこれと異なる場合もあります。

試験に関する最新情報は、日本語能力試験の公式ホームページ（http://www.jlpt.jp）でご確認ください。

N1各問題のパターンと解答のポイント

言語知識

問題1【漢字読み】　漢字の正しい読みを選ぶ。

よく出る問題・語句
- 訓読みの難しいもの（例 逃れる、図る）
- 伸ばす音か伸ばさない音か
- 詰まる音（っ）か詰まらない音か
- 「゛」や「゜」の付く音か付かない音か　など

★ すぐわからないときは、消去法（間違いだとわかる選択肢を消していって、残ったものから選ぶ）で。時間をかけないように。

問題2【文脈規定】　文に合う語を選ぶ。

よく出る問題・語句
- 似ているが意味の異なる語
- 同じ漢字を含む語、形が似ている語（例「甘さ、辛さ…」、「送り先、届け先」）
- 慣用的な表現、など

問題3【言い換え類義】　意味がほぼ同じで、言い換えができる語を選ぶ。

★ 文に合うだけではだめ。元の語と同じ意味になるかどうか、が問題。カタカナ語に注意。

問題4【用法】　正しく使われているものを選ぶ。

よく出る問題・語句
- 前後の語との結びつきは正しいか
- 使われている場面は適当か

★「意味としては問題ないが、用法として×」というパターンが多い。どんな場面でどんな語と一緒に使うかに注意しながら、覚えるようにする。

問題5【文の文法1（文法形式の判断）】 文に合う文型を選ぶ。

★ 前の語（その形を含めて）との接続が正しいか、後に続く内容が合っているか、がポイント。意味の理解だけでなく、前後との関係に注意する。

問題6【文の文法2（文の組み立て）】 語を並べ替えて文を完成させる。

★ 解答の際、「★」にあたる語を間違えないように注意。

《問題例》
次の文の __★__ に入る最もよいものを、1・2・3・4の中から一つ選びなさい。

偉そうなことを ____ ____、__★__ ____ 知らなかった。
1 何も　　　　2 割には　　　　3 言う　　　　4 彼は

（解答の仕方）
偉そうなことを __言う__　__割には__、__彼は__　__何も__　知らなかった。

問題7【文章の文法】

《問題例》
問題7　次の文章を読んで 41 から 45 の中に入る最もよいものを、1・2・3・4から一つ選びなさい。

　昨今、B級グルメなるものがあちこちで話題となっている。互いの自慢の料理を競い合うイベントが開催されたり、町おこしや商品化につながったりと、ちょっとした経済効果を生み続けており、景気の悪いニュースの一方で、明るい話題 41 。一つ星店の高級日本料理における深く繊細な味は、それだけで日本が誇るべき伝統の文化であり、職人たちの研ぎ澄まされた技と心には尊敬の念すら感じるものだ。 42 、このＢ級グルメも、私たち日本人の食へのあくなき情熱を感じさせられるものとして誇らしく感じるものなのである。・・・（以下略）

41
1 であってほしい　　2 でなければならない　　3 といえるだろうか　　4 ともなっている

42
1 しかし　　2 というのも　　3 だから　　4 そう言えば

（正解： 41 4、 42 1）

読解

● 読解問題全体に共通するポイント ●

1 指示語の内容をつかむ。
2 文末の表現、内容に注意する（→本文、選択肢ともに）。
3 接続詞に注意しながら、論理展開を押さえる。
4 言い換えていること、繰り返し述べていることは重要なポイント。
5 否定や逆接の後に自分の意見や主張が述べられることが多い。
6 大事な所やわからない所を丸で囲ったり線を引いたりしながら読む。

問題8【内容理解（短文）】 200字程度の文章を読んで内容が理解できるかを問う。

よく出る問題・語句
- 筆者が最も言いたいことは何か
- 筆者の考えに合うのはどれか
- 筆者は（何が／どのように／どんな…）考えているか

★主題（主なテーマ）に注意して、選択肢の文末部分の違いをとらえる。

問題9【内容理解（中文）】 500字程度の文章を読んで理由や原因、筆者の考えなどが理解できるかを問う。

よく出る問題・語句
- …理由／原因は何か（〜はどうして…か）
- …たのはなぜか
- ○○○とはどういう意味か／（ここでの）○○○とは何か
- 筆者の考えによると…何か
- 〜について筆者が最も言いたいことは何か

★①指示語（それ、そのように、このこと、…）の内容を押さえる→直前またはその少し前に指示内容がある場合が多い。
②下線部の内容については、＜表現は違うが同じことを述べている部分＞＜前の部分で示された具体的な例＞に注目する。

問題10【内容理解（長文）】
1000字程度の文章を読んで、概要や筆者の考えなどが理解できるかを問う。

よく出る問題・語句
- ○○○とはどういう意味か
- 筆者は（何が／どのように／どんな…）考えているか
- この文章からわかる「○○○」はどんなことか

★設問と直接関係ない部分には時間をかけず、大事な部分を重点的に読む。

問題11【統合理解】
複数の文章（合計600字程度）を読んで、比較・統合しながら内容が理解できるかを問う。

よく出る問題・語句
- 〈文章〉作品や商品などの評価
- 〈文章〉賛成・反対それぞれの立場による意見
- 〈問題〉～について、AとBはどのように述べているか。
- 〈問題〉AとBのどちらにも書かれている内容はどれか。
- 〈選択肢〉Aは…と述べ、Bは…と述べている。
- 〈選択肢〉Aは～的だが、Bは～的。
- 〈選択肢〉AもBも…。／AもBも～だが、Bは…。

★まず設問文を読み、「何が問われるか」を確認する。そのうえで、A・Bの共通点や違いに注意しながら、本文を読む。

問題12【長文（主張理解）】
1000字程度の抽象的な内容の文章を読んで、全体として伝えようとしている主張や意見がつかめるかを問う。

よく出る問題・語句
- 新聞の論説や評論
- 「社会・人生・文明・歴史・芸術など」をテーマにしたもの

★主張が表れる部分（～ではないか、～と思う、～気がする、など）に注目する。

問題13【情報検索】
情報素材（700字程度）の中から必要な情報を探し出すことができるかを問う。

よく出る問題・語句
- 広告
- パンフレット（商品やサービスの内容）
- 掲示物（イベント案内・募集ほか）
- 情報誌（求人・不動産ほか）
- ビジネス文書

★時間や場所、方法、条件など、よく使われる語句を押さえておく。

聴解

● 聴解問題全体に共通するポイント ●

1 音声は1回しか聴けないので、1問1問集中して聴くこと。
2 解答に迷っても、そこで時間をかけない（→次の問題に集中できなくなる）。
3 設問文をしっかり聞き取ること。
4 主語や目的語など、会話では特に省略が多いので注意。

問題1【課題理解】　二人の会話を聞いて、内容が理解できるかどうかを問う。

流れ
1 問題文を聞く
2 選択肢を見る
3 説明と質問（1回目）を聞く
4 会話を聞く
5 質問（2回目）を聞く→解答

よく出る問題・語句
- ～はこの後、どうしますか。
- ～は何をしなければなりませんか。

★「何が足りないか、十分でないか」に重点を置きながら聴く。また、（相手の言ったことなどに対して、）否定したり部分的に変えたりすることが多いので注意。

問題2【ポイント理解】　二人の会話または一人のスピーチなどを聞いて、ポイントがつかめるかどうかを問う。

流れ
1 問題文を聞く
2 選択肢を軽く見る
3 説明と質問（1回目）を聞く
4 選択肢を見る（約20秒）
5 会話を聞く
6 質問（2回目）を聞く→解答

よく出る問題・語句
- ～は「何が／何を／どのように／どうして…」と言っていますか。
- 「最も～は何だ／どこだ」と言っていますか。

★最初に聞いた質問をポイントに、流れを追う。誰についてのことなのか（「男の人」か「女の人」か、店員か客か、など）も押さえる。

問題3【概要理解】

一人の話または二人の会話を聞いて、全体としての趣旨を理解できるかを問う。

流れ
※ 選択肢は問題用紙に印刷されていない。
1. 説明を聞く
2. 話を聞く
3. 質問を聞く
4. 選択肢を聞く→解答

よく出る問題・語句
- ～は何について話していますか。
- 話のテーマは何ですか。／どのようなテーマで話していますか。
- ～はどう考えていますか。

★「何についてか」「何がテーマか」「何が言いたいのか」を頭に置いて聞く(細かい説明の内容はあまり重要ではない)。

問題4【即時応答】

質問などの短い発話を聞いて、それに合った答え方が理解できるかを問う。

★職場の会話が多いので、よく使われる短い会話表現をチェックしておく。「お礼や感謝の言葉」が正解、不正解の両方でよく使われるので、どういう場面で使うか、理解しておく。

問題5【統合理解】

長めの話を聞いて、複数の情報を比較・統合しながら、内容が理解できるかを問う。

流れ
1. 説明を聞く
2. 話を聞く
(「3人の会話」や「1人の話＋2人の会話」など)
3. 質問を聞く
4. 選択肢を聞く→解答

よく出る問題・語句
- 1人の話(専門家、講師、店員など)＋(それを聞いた)2人の会話
- 3人での会話(家族や友達同士など)

★誰がどういう立場・意見か、などに注意して、ポイントをメモしながら聞く。

模擬試験 第1回 解答・解説

正答一覧

言語知識（文字・語彙・文法）

問題1		問題5	
1	2	26	4
2	2	27	1
3	3	28	2
4	3	29	2
5	1	30	2
6	4	31	2
問題2		32	4
7	2	33	3
8	3	34	1
9	1	35	3
10	4	問題6	
11	3	36	1
12	2	37	3
13	1	38	4
問題3		39	3
14	2	40	1
15	2	問題7	
16	2	41	3
17	1	42	1
18	1	43	3
19	3	44	4
問題4		45	3
20	1		
21	2		
22	3		
23	1		
24	4		
25	3		

読解

問題8		問題13	
46	4	70	2
47	2	71	4
48	2		
49	3		
問題9			
50	4		
51	2		
52	1		
53	2		
54	1		
55	4		
56	3		
57	2		
58	4		
問題10			
59	4		
60	1		
61	3		
62	4		
問題11			
63	2		
64	3		
65	1		
問題12			
66	3		
67	1		
68	4		
69	2		

聴解

問題1		問題4	
例	2	例	3
1	3	1	3
2	4	2	2
3	4	3	2
4	2	4	1
5	3	5	2
6	2	6	1
問題2		7	3
例	3	8	1
1	3	9	2
2	2	10	1
3	4	11	2
4	2	12	2
5	3	13	3
6	2	問題5	
7	4	1	1
問題3		2	4
例	3	3(1)	2
1	1	(2)	3
2	4		
3	4		
4	2		
5	2		
6	2		

※ 解説では「言葉と表現」でN1レベルの語を取り上げ、チェックボックス（□）を付けています。説明のために取り上げた一部の難しい語には△を付けています。

言語知識

問題1

1 正答2

□漂う：空中・水面などに浮かび、風や波に乗って揺れる。
▶ □漂＝ヒョウ／ただよーう
　例 漂流(する)、暗い雰囲気が漂う。

他の選択肢　1 匂って　3 張って　4 濁って

2 正答2

□若干：少し。
▶ □若＝ジャク、ニャク／わかーい
　例 若年、老若男女、若い男女。
▶ □干＝カン／ほーす
　例 干渉(する)、洗濯物を干す。

3 正答3

□臨む：ある場所に面する、あることに参加する。
▶ □臨＝リン／のぞーむ
　例 臨時、試合に臨む、海に臨む家。

他の選択肢　1 挑み　2 進み　4 励み

4 正答3

□不評：評判がよくないこと。
▶ □評＝ヒョウ　例 評価、批評、好評。

5 正答1

□渋い：舌がしびれるような感じ、感覚。甘くない(味)。不愉快な、不満のある(表情)。派手さや明るさがなく落ち着いた(色)。

▶ □渋＝ジュウ／しぶーい
　例 渋滞(する)、渋い柿、渋い表情、渋いスーツ。

他の選択肢　2 苦い　3 怖い　4 辛い

6 正答4

□平静：態度や気持ちが落ち着いている。
▶ □平＝ヘイ／ビョウ／たいーら／ひら
　例 平気、平等、平らな屋根、平社員。
▶ □静＝セイ／ジョウ／しずーか
　例 冷静、静脈、静かな部屋。

問題2

7 正答2

□アドバイス(する)：助言、忠告。英 advice から。
　例 いいアドバイスをもらった。

他の選択肢
1 ニーズ：必要、要求、需要。英 needs から。
　例 ニーズを満たす、ニーズに応える。
3 リクエスト(する)：要求、要望。英 request から。
　例 ラジオ局に好きな曲をリクエストした。
4 パワー：力。英 power から。
　例 パワーのある選手。

8 正答3

□補充(する)：足りない物や人などを補う。
　例 プリンターにインクを補充する。

解答・解説

他の選択肢
1 **補足(する)**：足りない点などを補う。
　例 内容の補足、説明を補足する。
2 **補修(する)**：壊れた部分や古くなった部分を修理する。
　例 道路の補修、古くなった建物を補修する。
4 **補助(する)**：仕事や費用などを補って助ける。
　例 政府の補助金、国が費用を補助する。

9 正答1

□ **調整(する)**：adjust／调整／조정
　例 みんなの意見を調整する。

他の選択肢
2 **相談(する)**　例 進路の相談。
3 **交渉(する)** negotiation／谈判／협상
　例 契約の交渉。
4 **計算(する)**　例 費用の計算。

10 正答4

□ **励ます**：元気づける。
　例 病気の友人を励ます。

他の選択肢
1 **求める**：要求する。
　例 友人に助けを求める。
2 **促す**：press, encourage／促使／재촉하다
　例 学生に注意を促す。
3 **説得(する)**：よく話して、相手を納得させる。
　例 相手をうまく説得する、説得力がある。

11 正答3

□ **厳重(な)**：とても厳しい。
　例 ルールを守らない者に厳重に注意した。

他の選択肢
1 **厳密(な)**：細かいところまで注意が向けられていること。　例 厳密に言うと違いがある。
2 **厳格(な)**：態度などに厳しい。
　例 厳格な父に育てられた。

4 **厳正(な)**：物事を正しく行うことに厳しい。
　例 厳正な審査が行われた。

12 正答2

□ **消去(する)**：情報やデータなどを消してなくす。　例 古いデータを消去した。

他の選択肢
1 **免除(する)**：義務などをしなくてもよいようにすること。　例 1年間の学費を免除する。
3 **追放(する)**：どこか別の場所に行かせること。
　例 国王を国外に追放する。
4 **削減(する)**：減らす。
　例 今年度の予算を削減する。

13 正答1

□ **～ごと**：ever, each／毎…／～마다
　例 国ごとに異なる文化がある。

他の選択肢
2 **～ずつ**：each／毎，各／～씩
　例 彼は毎月5万円ずつ家にお金を送っている。
3 **～につき**：per／毎／～당
　例 携帯電話の料金は1カ月につき5000円です。
4 **～あたり**：per／大约,差不多那样,…之类／~당
　例 子供1人あたり1万円が政府からもらえる。

問題3

14 正答2

□ **かすか(な)**：(音・声などが)弱弱しい様子。
　例 風がかすかな音を立てた。

15 正答2

□ **かさばる**：(物などが)大きくて場所を取る。
　例 袋がかさばって持てない。

模擬試験 第1回 解答・解説

16 正答 2

- □ 企てる：あることを実現しようとして計画する。
- 例 彼らは何か変なことを企てている。
- ※ 大きなこと、よくないことについて言う場合によく使われる。

17 正答 1

- □ フェア（な）：公平な。英 fair から。
- 例 フェアな競争。

他の選択肢
2 活発（な）：元気な様子。
例 私の娘は明るくてとても活発です。

18 正答 1

- □ 趣旨：物事のもとになる考えや目的。
- 例 質問の趣旨、制度の趣旨。

19 正答 3

- □ むやみに：物事の正しさや結果をあまり考えないで。
- 例 むやみに買い物をしないほうがいい。

他の選択肢
4 勝手に：他人のことを考えないで自分が好きなようにする。
例 勝手に決める。

問題 4

20 正答 1

- □ 著しい：はっきりとわかるほど目立つ様子。
- 例 両国の貿易量は著しく増加した。

他の選択肢 2 激しい性格、3 有名な作家、4 大きい音、などが適当。

21 正答 2

- □ 当てはまる：条件やイメージなどがちょうど合う。
- 例 勤勉なイメージは最近の日本の若者には当てはまらない。

他の選択肢 1 車にぶつかる、3 最近の天気予報はよく当たる、4 壁によく合う、などが適当。

22 正答 3

- □ 気味が悪い：怖いような感じがして気持ちが悪い。
- 例 差出人のない手紙をもらって気味が悪い。

他の選択肢 1 けんかして気分が悪い、2 かぜを引いて気分が悪い、4 塩辛いなどが適当。

23 正答 1

- □ めど：めざすところ、目標。
- 例 3年後をめどに会社を大きくしたい。

他の選択肢 2 結婚したのをきっかけに、3 地図を手がかりに、4 病気を理由になどが適当。

24 正答 4

- □ ぐったり：疲れたりがっかりしたりして力がない様子。
- 例 一日中歩いたので、みんなぐったりしている。

他の選択肢 1 ゆっくり休みたい、2 どんよりとして見える、3 目の前がぼんやりしているなどが適当。

25 正答 3

- □ 冴える：（頭や目などの感覚が）はっきりとしている。
- 例 今日はいつもより頭が冴えている。

他の選択肢 1 刃が鋭くて、2 すべすべしていて、4 川の水はとても澄んでいて、などが適当。

問題5

26 正答4
- □ タイムセール：時間限定の安売り
- □ 〜とあって：〜ということにふさわしく。
- □ ごった返す：たくさんの人であふれている。
- □ 〜とあれば：〜ということなら、きっと。
  - 例 コンサートが行われるとあれば、チケットはすぐに売り切れるだろう。

27 正答1
- □ 〜とかなんとかで：〜などの事情・理由で。
- □ 〜（という）ようなこと：はっきりしていないが、大体そのようなこと。

28 正答2
- □ 〜んじゃない(の)？：「〜のではない(の)か」が変化した形。「〜だと思う」の意味。

29 正答2
- □ 〜ことだ：〜しなさい、〜した方がいい
- ! 命令やアドバイスを表す表現。目上の人には使わない。

30 正答2
- □ 〜させていただく：「〜する」の謙譲表現。
- ※ 謙譲表現：自分を下に置くことで、相手への尊敬の気持ちを表す表現。

31 正答2
- □ 〜限りだ：とても〜だ。
- □ 〜で何よりだ：〜で本当によかった。
- ! 良いことに使う。
- 例 無事で何よりだ。

32 正答4
- □ 〜からこそ：まさに〜から。理由を強調する表現。
  - 例 彼はあなたのことを心配しているからこそ、厳しく言うのです。
- □ 〜ならまだしも：〜ならまだいいが。
  - 例 子供ならまだしも、大人がそんなことをしてはいけない。
- □ 〜とみるや：〜と思ったらすぐ。
  - 例 チャンスとみるや、一気に攻めてきた。
- □ 〜（の）にひきかえ：〜（の）に比べて。
  - 例 女性が積極的なのにひきかえ、男性は皆、おとなしかった。

33 正答3
- □ 〜のあるなし：〜の有無
- □ 〜にかかわらず：〜に関係なく。
- □ 〜とあいまって：〜と一緒になることでさらに効果を増して。
  - 例 その建物は、周りの景色とあいまって幻想的な雰囲気でした。
- □ 〜といったら：〜といえば。
  - 例 すしといったら、この店です。
- □ 〜を尻目に：（余裕や勢いがあり）〜を問題にせず物事を進めている様子。
  - 例 焦る私たちを尻目に、彼は作業を終えてコーヒーを飲んでいた。

34 正答1
- □ グローバル：国際的な
- □ 〜だけあって：〜ということにふさわしく。
- □ 〜にしてみれば：〜にとっては。〜の立場になってみれば。
  - 例 彼にしてみれば、軽い冗談のつもりだったんでしょう。
- □ 〜ならでは：〜だからできる（こと）。〜らしいと納得する。

模擬試験 第1回 解答・解説

例 この商品なんか、まさに女性ならではのアイデアだね。

□ ～というからには：～であるから当然。
例 プロを目指すというからには、相当努力しなければならない。

35 正答3

□ していらっしゃる：「している」の尊敬語。

□ なさる：「する」の尊敬語。

□ される：「する」の活用形「さ」＋尊敬を表す助動詞「れる」。

⚠ 2、4は二重敬語。ほかに正しい言い方は次のとおり。
- どんなことに注意なさっているか
- どんなことに注意されているか

問題6

36 正答1

中学生の 2娘が 4彼女なりに 1出した 3結論なのだから 周りの大人がとやかく口を出すべきではない。

⇒【[中学生の娘が彼女なりに出した]結論なのだ】から、[周りの大人がとやかく口を出す]べきではない。

37 正答3

ＡＢＣ交通が安全より利益を優先させ、従業員に 2無理な労働を 4強いて 3きた 1がために、今回の悲惨な事故が起きたと見られている。

⇒【[ＡＢＣ交通が安全より利益を優先させ、従業員に無理な労働を強いてきた]がために、今回の悲惨な事故が起きた】と見られている。

□ ～がために：～せいで。そのことが原因で。

38 正答4

いくら建物が 3老朽化している 2といっても 4すぐに 1建て替える ということにはならない。

⇒〈いくら建物が老朽化しているといっても〉、[すぐに建て替える]ということにはならない。

□ ～ということにはならない：～ということが成立する理由・可能性など全くない。

39 正答3

この施設では、介護 4のみならず 2生活全般の 3ケアの 1充実 を目指しているという。

⇒ この施設では、〈介護のみならず〉、[生活全般のケアの充実]を目指しているという。

□ ～のみならず：～だけでなく。

40 正答1

幼い子どもが犠牲 4になる 2事件 1を 3ニュース で見るにつけ、胸が痛くなる。

⇒【[幼い子どもが犠牲になる事件]をニュースで見るにつけ】、胸が痛くなる。

□ ～につけ：何かを見たり思ったりするたびにそれに関連して。

問題7

41 正答3

第1段落3行目までが「手書きの文字」について、4～5行が「タイプの文字」についてで、対比的に書かれている。

42 正答1

□をはさんで、前が理想、後が現実という流れ。字が下手な人は上手になりたいと願うが、日常的にはタイプを使ってしまう。

43 正答3

「タイプ→メール・パソコン」「日常生活→タイプ」「特別な場面→手書き」という関係を押さえる。
□ **ツール**：道具。英toolから。

44 正答4

ここは、手書きをしなくなるとどんなことが起こるか、具体例を述べているところ。よくない結果について述べる「～しまつだ」が合う。
□ **～しまつだ**：～というよくない結果・事態だ。
　例 彼には困った。心配して声をかけたら、逆に、怒り出す始末だ。

□ **～わけだ**：～のも当然だ、～のも納得する。
　例 1時間も遅刻したの？ 彼女が怒るわけだ。
□ **～ないものでもない**：全く～ないわけではない。それをすることに積極的ではないが、否定的でもない。
　例 彼女が怒るのも、わからないでもない。
□ **～ではすまない**：～というのは許されない。
　例 こんな問題を起こしておいて、知らなかったでは済まない。

45 正答3

ここでは、次の文の「便利な機能」の具体的な内容が述べられている。人が恩恵を受けるので、「～てもらえる」が適当。

読解

問題8（短文）

(1)「多言語情報の提供」

46 正答4

課題は情報の「伝達方法」であり、具体的には「情報が届くには、発信メディアが…信頼されるものになっていなければならない」。4「情報が得られる安心感」が信頼にあたる。

言葉と表現

- **使いこなす**：うまく使い、十分に活用する。
- **アクセス**：場所や人に近づくこと、たどり着くこと。交通の便（便利さ）。インターネット上で情報を得られるところに至ること。英 access から。
- **日頃から**：普段から。
- **認知される**：（ここでは）知られる。
- **メジャー**：主要な。英 major から。
- **精通する**：詳しく知っている。

(2)「面接辞退のお詫び」

47 正答2

面接の連絡をもらったが、「（面接を）辞退させていただきたく（＝たいと思い）」連絡をしている。

他の選択肢

1→日時変更ではなく、辞退を申し出ている。
3→辞退したいのは、内定ではなく面接。
4→他社の内定による面接辞退を詫びている。

言葉と表現

- **〜付け**：（日付の後ろに付いて）その日に行われたことを表す。
  例 4月1日付けで採用する、10月1日付けの手紙。
- **内定**：正式な手続きはまだだが、採用が決まったこと。

(3)「自転車シェアリング」

48 正答2

最後の文「まずは…」に注目する。筆者は問題を順番に解決することを主張している。

他の選択肢

1→自転車の問題を解決するものとして論じているわけではない。
3→同時進行は主張と合わない。
4→課題はあるが、自転車シェアリング自体は否定していない。

言葉と表現

- **地域おこし**：特に経済的な効果を期待して、その地域に活気を与えるための活動。
- **さぞかし**：きっと（未経験のことを自分のことのように感じながら）。
  例 みんなで行けたら、さぞかし楽しいだろう。
- **エスカレートする**：ある状態がさらに強くなること。多くは、よくないことに使われる。

(4)「カッコウの托卵」

49 正答3

「仮親に自分の子を育てさせる」「ただ子育てを放棄しあぐらをかいてきた（＝楽をしてきた）わけではない」から3。

他の選択肢

1→托卵される側に利点のある繁殖方法ではない。
2→ほかの動物の子育てについては書いていない。
4→鳥類一般の子育てについては書いていない。

言葉と表現

- 〜らしからぬ：〜らしくない。
- 〜に映る：（ここでは）〜に見える。
- ひな：鳥の赤ちゃん・小さな子。
- ひきょう者：ずるい人。
- 攻防戦：攻めたり守ったりの戦い。
- 〜の産物：〜によって生まれたもの。
- 技術を磨く：技術を高める。
- 放棄（する）：義務や権利などを投げ捨てること。

問題9（中文）

(1)「子どもが育つ条件」

50 正答4

「よかれ（＝よくあってほしい、上手くいってくれ）」という思いが基本にある。「路線」＝ある地点への道筋

1、2→「性格」も「進学先」もテーマではない。
3→早い遅いだけを問題にしているのではない。

51 正答2

親について書いている第2段落に注目する→「『良育』にせっかちなあまり、子どもが熱中していることに我慢できない」。

3→子どもを褒めるかどうかは問題にしていない。

52 正答1

第1段落で「自分の力を使うこと」が「発達」の基本だと述べている。第3段落より、それを保障するとは「自力達成の機会」を奪わないこと。「自己効力感」は「ある目的を達成するための能力が自分にある、自分は意味のあることをしている」という感覚。

他の選択肢

2、3→ 子どもが受け身になる形では、むしろ「自ら育つ」ことと反する。

言葉と表現

- 見出す：見つけ出す、発見する。
- とかく：ある傾向が強い様子を表す。
  例 年をとると、とかく忘れやすくなる。
- せっかち（な）：先を急ぐ様子。
  例 彼女はせっかちだから、早く返事をしたほうがいい。
- 遠回り：遠い方の行き方で行くこと。
- 一因：一つの原因。
- 急務：急いでしなければならないこと。
- 後回し：順番を変えて後にすること。
- 先回り：相手より先にその場所に行くこと。ここでは「相手より先にしたり考えたりすること」。

(2)「食の文化を語る」

53 正答2

「現世的快楽に身をゆだねる」「快楽を肯定して早死にする」生き方。

他の選択肢

1→国家の栄養管理とは関係がない。
3、4→健康を重視する生きかたではない。

54 正答1

食と健康の関係、食の危険性などについて、知らない状態でいてはならないということ。

他の選択肢

2→生きる目的の自覚・理解は問題にしていない。
3→節制に無関心な生きかたもあると述べている。
4→第三者でなく本人（個人）が知っているべき。

55 正答4

「それ（＝ホームドクターの職務）とおなじように」と、その後に続く文が鍵。

模擬試験 第1回 解答・解説

他の選択肢
1→個人差も考慮するべきだと言っている。
2→分業については問題にしていない。
3→前半が、内容としても原因としても誤り。

言葉と表現
- 身をゆだねる：すべてをまかせる。
- 出現(する)：ある場所に現れる。
- 節制(する)：飲食など好きなものを控えめにすること。
- およばぬ：及ばない。
- 領域：area, region／领域／영역
- かかりつけ(の医師)：いつもその医者に診察をしてもらうこと。
- コンサルタント：企業などの相談を受け、専門的な立場から指導や助言をする職業。(英) consultant から。

(3)「生物が減る地域、言語も危機」

56 正答3

①を含む文の主語は「その多くの言語」。「その」は2つ前の文の「貴重な言語」を指す。

57 正答2

「半分近い約3200の言語は…「ホットスポット」…で使われていた」や第1段落の「その多くの言語は話し手が少なく」、第3段落の「…の人しか話していなかった」がヒント。

他の選択肢
1→急速に減少しているのは、生物の生息地。

58 正答4

「貴重な生物が多い地域＝急速に生息地が失われている地域」には「貴重な言語＝話し手の少ない言語」が多い。また、「言葉と生物の多様性が同じ地域で見られる」とある。

他の選択肢
1→3行目に「国際的に広がることで、絶滅の危険性がある」とある。
2→1万人以下は、6900のうち1500。
3→類似の理由について「詳しく言及していない」ので、因果関係があるかどうか、わからない。

言葉と表現
- 紀要：a journal／纪要／기요
- 話し手：話者、話す人。
- 絶滅(する)：ある生き物がすべて死んで、絶えること。
- 生息地：動物などがすむ場所。
- 種(生物学)：species／种子；核；品种／씨
- 多様性：性質の異なるものが多くある様子。
- 潜在的な脅威：latent threat／潜在的威胁／잠재적인 위협
- 因果関係：原因と結果の関係があること。
- 危機に瀕する：危機がすぐ近くに迫っている。

問題10（長文）

「コミュニケーションの基盤」

59 正答4

次の段落で詳しく説明されている。二つの身体が一つの響き(ゴーンという振動の感触)で充たされること。4の「一体感」が最も近い。

他の選択肢
1→テンポのよさは問題にしていない。
2→相手に与える影響については書いていない。
3→的確な反応が大切だとは言っていない。

60 正答1

前の文「集団で暮らしている状態でコミュニケーションがないということは、考えられない」を指す。1が最も近い。

61　正答 3

第4段落に注目。「感情をむき出しにして」「身体がもみ合うことで」伝え合う。また、「言葉を使わなくても、気持ちは交流している」とある。

他の選択肢

1→母猿と子猿の例が全く異なる。
4→人間とは比べていない。

62　正答 4

第5・6段落に注目。「一人でこもることのできるきわめて快適な環境」や「言語という精緻な記号体系を構築した（こと）」が挙げられている。

他の選択肢

2→身体的コミュニケーションの衰退と高度な通信技術との関係は明確に書かれていない。

言葉と表現

- ピンとくる：人の態度や状況などから、あることを感じ取る。
- やりとり：言葉や情報を互いに送ったり受け取ったりすること。
- もみ合い：(対立する者などが)狭い所などで体を押し合ったりすること。
- むき出し：隠さずに表に出す。
- ふんだんに：余るほど多く、豊富に。
- うっとりする：気持ちがよくて、ぼうっとする。
- 距離感覚：相手とどれくらいの距離を保てばいいか、という感覚。
- レスポンス：反応（刺激や働きかけに対して動きや変化を示すこと）。英 response から。
- 一体感：一つにまとまったと感じること。

問題11（統合理解）

「大学秋入学」

63　正答 2

Bでのみ「5年後を目途に」と書かれている。

他の選択肢

1、3、4→いずれもAとBの両方に記述あり。

64　正答 3

Aは「国際化に繋がるのだろうか（＝繋がらないのでは？）」「優先すべき課題があるのではないだろうか（＝ある）」など否定的。Bも課題を提示しているが、それに対するA大学の対策に触れるなど、客観的に述べているだけ。

65　正答 1

海外の大学の取り組みについては書かれていない。

他の選択肢

2→Aにギャップタームに関する課題の記述あり。
3、4→Bの最終段落に注目。そのためにA大学が他大学や経済界との協議を始めている。

言葉と表現

- 打ち出す：主張や考えなどをはっきり示す。
- ～とする：～と考える、～と判断する。
  例 これでよしとする。／実現は難しいとされている。
- 理想論：理想的だが非現実的な考え方。
- ～に過ぎない：～でしかない。
- 受け皿：物事を引き受けるための用意、態勢。
- 本格的に：簡単にせず、本来あるべき形で。
- ～を目途に：～を目標にして。
- 国際基準：international standard
- 通年：一年間を通して、1年中。
- 足並みを揃える：調子を揃える。

問題12（主張理解）

「スローライフ」

66 正答3

第5段落の「日本人は昔から自然環境に無関心～そんなことはない」に注目する。

他の選択肢

1 → 新しい分野の研究すべてが海外由来ではない。
2、4 → 「日本の環境対策／環境分野の研究は進んでいる」とは言っていない。

67 正答1

第6段落の「『もったいない』が「原産地ではほとんど死語と化している」に注目。「原産地」は「もともとの生産地」→日本を指す。

他の選択肢

2 → 米国で注目されていないとは言っていない。
4 → 政府が用いたのは「横文字（外来語）」なので誤り。

68 正答4

「それ」＝「もともと日本人の持っていた言葉」＝「もったいない（持続可能性に通ずる）」。

69 正答2

この「そうである」は、直後の「まことに軽薄、軽率な」を指す。「多くの流行語と同様に」という意味。

他の選択肢

1、3、4 → いずれも「軽薄、軽率な」の内容に合わない。

言葉と表現

- □ 頭文字：語頭あるいは文頭の文字。
- □ 造語：作られた語。
- □ なじむ：慣れて親しくなる。ほかのものと自然な感じで調子が合う。
  例 風景によくなじんだ建物。なかなかクラスになじめない。
- □ 後手（後手）：ほかの人に先を行かれて、出遅れること。
- □ 反映(する)：to reflect／反応／반영
- □ 厄介(な)：面倒な。
- □ 限る：（ここでは）制限する。
- □ 女史：教養豊かで社会的に活躍している女性への敬称。
- □ ～と化す：～になる。
- □ 世(に送り出す)：社会(に送り出す)。
- □ 違和感：周りのものと合っていないと感じること。例 男性向けの商品にこういう名前を付けるのには違和感を感じる。
- □ アピール(する)：訴えかける。心を打つ。英 appeal から。
- □ 相次ぐ：同じようなことが続いて起こる。
- □ 食うや食わず：食事を満足にとらない様子。
- □ 口にする：（ここでは）言う。
- □ 美徳：美しく道徳的な行為、性質。virtue
- □ 刷り込む：（ここでは）子どものころから深く印象づける。
- □ ～に至る：その時期になる。その場所に行きつく。例 その日の会議は深夜にまで至った。
- □ 本場：あるものごとが盛んな土地、場所。

問題13（情報検索）

「フリマ出店案内」

70 正答2

「販売できるもの」の中の、一般出店とアート出店の違い、販売や持ち込みができないものに注目する。

他の選択肢
1→ 薬は販売できない。
3→ 不用品と自分で作った物は別の区画で出す。
4→ 包丁（＝刃物）は持ち込み・販売ともに不可。

71 正答4

「お申込方法」と「注意事項」に注目する。

他の選択肢
1→ 用紙を直接提出する必要はない。
2→ 申し込みは代表者本人（川本さん）がする。
3→ テント設営、シートの借用はできない。

言葉と表現
- □ **区画**：区分けされた土地や場所。
- □ **仕入れ**：（店で売ったり製品を作るために）物を買い入れること。動 仕入れる

聴解

問題1

例　正答2　03 CD1

大学で男の学生と先生が話しています。学生はこのあとどうしますか。

男：先生、すみません、私の発表が再来週なんですが、ちょうどその日に企業の実習が重なってしまいまして…。就職を希望しているところなので、できればそれに行きたいのですが、発表の日にちを変更していただくことはできないでしょうか。
女：そうですか。そういうことなら仕方ないですね。じゃあ、その日は発表は誰かに代わってもらいましょうか。ああ、田中さんがまだ一度も発表していないから、まずは田中さんに聞いてみてください。
男：わかりました。すぐに確認します。
女：もし田中さんが無理だったら、次のゼミの時に全員に聞いてみましょう。
男：はい、わかりました。
女：どちらにしても、わかり次第連絡してください。
男：はい、ありがとうございます。

学生はこのあとどうしますか。

1番　正答3　04 CD1

男の人と女の人が会議の準備について話しています。男の人はこのあと何をしなければなりませんか。

男：課長、今度の商品説明会の時間は午前11時からでよろしいでしょうか。
女：前回と同じでしょう。私は大丈夫。他部署の課長には確認した？
男：皆さん大丈夫でした。場所はA会議室が空いていましたので押さえておきました。
女：ありがとう。パソコンとプロジェクターは大丈夫？
男：はい。もう申請してあります。
女：パソコンはもう1台あるといいわね。なるべくパソコンの画面でも見(ら)れるようにしたいから。借りられるかなあ。
男：では、確認しておきます。
女：よろしくね。あと、今回は大阪支店の人にも入ってもらうけど、日にちはもう伝えてある？
男：田中さんがさっき電話していました。
女：それなら、大丈夫だね。

男の人はこのあと何をしなければなりませんか。

言葉と表現

☐ 部署：department／部署／부서
☐ 押さえる：場所や時間などを予約する。
☐ プロジェクター：映像を映す機械。
　英 projector から。
☐ 申請(する)：(許可や証明書の発行などを)申し込むこと。

2番　正答4　05 CD1

大学で先生と女の学生が卒業論文について話しています。女の学生は来週までに何をしなければなりませんか。

女：あ、先生、こんにちは。
男：ああ、こんにちは。…ところで、田中さん、卒業論文のほうは進んでますか。
女：え？　ああ、まあ…。
男：そろそろ具体的な進捗状況を報告してもらわないといけませんね。あとでゼミの全員にメールで通知する予定なんですが、来月の1週目と2週目、2回に分けて、ゼミで順番に卒業論文の進捗状況を発表してもらおうと思ってるんです。
女：え？　あ、そうですか。わかりました。ちゃん

とご報告できるよう、準備を進めておきます。
男：それで、来週までに発表の順番を決めておいてほしいんですが、田中さんが中心になって話を進めてくれませんか。
女：わかりました。今週のゼミのあとに、みんなで話し合いたいと思います。

女の学生は来週までに何をしなければなりませんか。

言葉と表現

□ **進捗**：物事が進むこと。「進捗状況」は物事の進行状況。

3番　正答4　06 CD1

カラオケの店で、店員と男の人が話しています。男の人はこのあとすぐ何をしますか。

女：いらっしゃいませ。何名様でしょうか。
男：二人です。とりあえず1時間でお願いします。
女：わかりました。あのー、今、こちらのランチメニューをご注文されますと、1時間のご利用料金が半額になりますが、いかがでしょうか。
男：うーん。ご飯は食べてきたから、いいです。あ、このクーポン使うと割引になるんですよね。
女：申し訳ございません。このクーポンは南口店でのみご利用いただけるものでして、当店ではご利用になれないのですが。
男：あ、そうなんですか。
女：あの、お客様は当店の会員カードをお持ちでしょうか。
男：確か前に作った気がするんですが、ちょっと見当たらないですね…。
女：よろしければ、新しくカードをお作りしましょうか。会員のお客様は10パーセント割引になります。
男：じゃあ、そうしようかな。
女：では、こちらの用紙にご記入をお願いします。

男の人はこのあとすぐ何をしますか。

言葉と表現

□ **クーポン**：coupon／优惠券／쿠폰

4番　正答2　07 CD1

駅で女の人と駅員が話しています。女の人はこのあとすぐ何をしますか。

女：すみません。先週イヤリングを片方落としてしまったんですが、届いてませんか。これなんですが…。
男：そうですか。えーと、こちらには届いてませんね。昨日までに拾われていれば、お忘れ物取扱所で保管しています。隣の東駅です。
女：東駅ですね。
男：あ、もしかしたら警察の方に行っているかもしれません。拾われてから四日たちますと、警察の方に移すことになっておりまして。
女：あの、交番へはもう行って届け出はしてあるんです。
男：そうでしたか。あの、地下鉄の方へはお尋ねになりましたか。
女：えっ？　私が乗っていたのは、地下鉄じゃなく、みなとまち線なんですが。
男：みなとまち線は地下鉄への直通運転をしていますので、車内に落とされた場合、地下鉄の方へ届けられることもあるんですよ。
女：そうなんですか。じゃあ、そちらにも聞いた方がいいですね。
男：はい。お忘れ物取扱所になかった場合、そうしていただけますか。
女：わかりました。とりあえずそこへ行ってみます。ありがとうございました。

女の人はこのあとすぐ何をしますか。

1 →「届ける」は「落とし物を拾って、管理するところに渡す」という意味。
3 →「届け出は済ましてある（すでにした）」と言っている。
4 → 問い合わせるのは（隣の駅の）お忘れ物取扱所になかった場合。

言葉と表現

□ **片方**：the other／一方面／한 쪽
□ **届け出**：役所や会社などで、ある事柄を伝えるために書類を出したりすること。「届け出をする」「届け出を出す」。

模擬試験 第1回 解答・解説

□ 車内：電車やバス、車などの中。

5番　正答3

男の人が弁当屋に電話をしています。弁当屋は何をいくつ配達しますか。

〈電話の呼び出し音〉
女：はい、いつもありがとうございます。にこにこ弁当でございます。
男：あのー、今週の金曜日のお昼にお弁当を予約している田中というものですが。
女：いつもありがとうございます。金曜日にご予約の田中様ですね…。はい、12時にお弁当15個、ペットボトルのお茶を7本ご注文いただいております。
男：すみませんが、当日会議に出席する人数が増えてしまいまして、お弁当を5個追加していただけませんか。
女：お弁当を20個にご変更ですね。お飲み物はいかがなさいますか。
男：そうですね。多めに頼んだから大丈夫かな…。
女：あの、ただいま、お弁当を20個以上ご注文いただいたお客様に、サービスでサラダかみそ汁を人数分お付けしておりますが…。
男：そうですか。じゃあ、健康のためにサラダでお願いします。
女：かしこまりました。
男：それでは、よろしくお願いします。
女：はい。ありがとうございました。

弁当屋は何をいくつ配達しますか。

言葉と表現

□ いかがなさいますか：どうしますか。

6番　正答2

大学の図書館で留学生が本の返却期限について聞いています。この留学生はどうするつもりですか。

男：貸出期限は5月10日までです。
女：あの、来週からしばらく国に帰るので、期限までに返せそうにないんですが…。
男：そうですか。延滞した場合、延滞した日数分、貸出禁止になりますから、なるべく帰国する前に返却するようにしてください。
女：そうですか。ただ、この本は国に持って帰って読みたいんですが…。
男：返却する時に、予約が一つも入っていなかったら、また2週間借りられますよ(i)。
女：はあ、でも予約が入っていたらだめなんですよね。
男：そうですね。それが心配なら、貸出の延長をすることもできますよ。こちらは予約の有無に関わらず、1週間延ばすことができますし(ii)、インターネットでも手続きができます。
女：そうですか…。でも、1週間しか延ばせないんですね。それでは足りないので(iii)、やっぱり帰国する前にもう一度伺います。もし予約が入っていたら、仕方がないですけど。
男：そうですか。わかりました。

留学生はどうするつもりですか。

(i) 一度返して改めて借りると2週間延長できる
→(ii) 延長の手続きをすると1週間延ばせる
→(iii)（しかし）1週間の延長では足りない。

問題2

例　正答3　⑪ CD1

男の人と女の人が話しています。男の人が国内旅行にしたいと言っている理由は何ですか。

男：夏休みのオーストラリア旅行の件だけど、あー、やっぱり国内旅行にしない？

女：えっ？どうして急にそんなこと言うの？ずっと前から計画して、貯金もしてきたじゃない。

男：う、うん…。

女：それに、シドニーの山田さんに街を案内してもらう約束までしてたじゃない。急にキャンセルなんてできないわよ。

男：それはそうなんだけど、8月に大きなプロジェクトを任されて、休むわけにいかなくなったんだよ。

女：そんな…。

男：山田さんにはまた別の機会に行くって連絡しとくからさ。

女：うーん。

男：まあ、でも、近場の温泉とかでのんびりするのもいいんじゃないかな？

女：あーあ。せっかく楽しみにしてたのに。

男の人が国内旅行にしたいと言っている理由は何ですか。

1番　正答3　⑫ CD1

テレビで女の人が話しています。この映画を薦める一番の理由は何だと言っていますか。

女：観客動員数ランキングで今週トップに立ったのが、この映画です。観客は若い人が中心ですが、かつての人気ドラマシリーズのリメイクですので、懐かしく感じる方も多いと思います。一番の注目は主演俳優です。なんと5000人のオーディションから選ばれた期待の新人で、なんといっても演技力がすごいんです。ラストシーンの迫力ある彼の演技には私も息をのみました。作品を通して流れる90年代のポップスも効果的です。ぜひご覧になってください。

この映画を薦める一番の理由は何だと言っていますか。

言葉と表現

- □ 観客動員数：（映画などを）見に行った人の数。
- □ リメイク（する）：（かつての映画作品などを）もう一度作ること。
- □ 迫力：心に強く迫ってくる力。
- □ 息をのむ：息が止まるほど驚いたり興奮したりする。

2番　正答2　⑬ CD1

男の人と女の人が卒業後の進路について話をしています。女の人は進路を決める際に何を一番重視すると言っていますか。

男：あー、そろそろ進路について真剣に考え始めないと。

女：進学も考えてるの？

男：うーん、特に今の研究をどうしても続けたいってわけじゃないんだけど、そうかと言って、具体的にやりたい仕事があるわけでもないんだよなあ。

女：みんなそうじゃない？実際に働き始めてみないと、何が自分に向いているかなんてわからないと思う。自己分析してみると、意外な職種に向いているっていう結果が出たりするし。私は経済的に進学は無理だから、就職活動するしかないけど。

男：もう始めてるの？

女：今はいろいろな企業に資料請求をしている段階。

男：どういう企業？やっぱり大手を狙ってるの？

女：大企業は競争が激しいからね。それに、こんな時代だから、小さくても安定した会社がいいかなと思って探してる。

男：それがいいよ。中小企業のほうが任される部分が多いから、そういう点では面白いかもね。

女の人は進路を決める際に何を一番重視すると言っていますか。

模擬試験 第1回　解答・解説

言葉と表現

□ **大手**：（企業などの）規模が大きいこと。

3番　正答4　[14 CD1]

会社で男の人と女の人が話しています。今後、どのような商品を開発することにしましたか。

男：最近、家庭用ゲームソフトの売り上げが伸び悩んでるね。なんとかいい商品を開発しないと…。

女：そうだね…。そういえば、簡単な操作でできるゲームが開発されてから、ゲームに関心を持つお年寄りが増えてきてるって聞いたけど。

男：確かにそうだけど、先に開発した2社でほとんど市場を独占されてるからな…。

女：じゃあ、人気アニメのゲームの新しいバージョンとか、料理やファッションをテーマにしたものをもっと工夫するとか。

男：確かに、そのあたりは客層が幅広いから可能性があるね。

女：ただ、他社との違いが出しにくいんだよね。

男：うん、そうなんだ。それで、高齢者の中にも、若いころからゲームに親しんでいる人がいることに注目してみたらどうかと思うんだ。

女：そういう人たちをターゲットにしたゲームはまだそんなにないよね。

男：年をとるにつれて若者向けのゲームをしなくなる人もいるだろうし、今の高齢者向けのゲームじゃ物足りないだろうしね。

女：じゃあ、そのあたりを調査して新しいものを開発していきましょう。

今後、どのような商品を開発することにしましたか。

言葉と表現

□ **伸び悩む**：伸びそうでいて、思ったほど伸びないままの状態でいる。

□ **バージョン**：version／版本／버전

□ **客層**：対象とする客を、性別や年齢などによって分けてとらえたもの。

□ **他社**：ほかの会社。

□ **ターゲット**：対象、目標とするもの。

4番　正答2　[15 CD1]

家で父と娘が話しています。父は娘に何が特に重要だと言っていますか。

女：いよいよ来週から社会人か…。なんだか緊張するなあ。

男：そうか。来週からか。

女：私なんかが本当に仕事できるのかなあ。ちょっと心配。

男：大丈夫だよ。アルバイトもいろいろしてたじゃないか。

女：それはそうなんだけど、社員とアルバイトは違うでしょ。それに、事務の仕事はやったことないし。

男：最初はみんな新人なんだから、徐々に覚えていけばいいよ。それよりまず挨拶だよ。仕事の基本だからな。

女：わかった。

男：ああ、あと、言葉遣いにも気をつけて。

女：敬語を正しく使えってことでしょ？

男：まあ、それもそうなんだけど、正しい正しくないというよりは接し方だな。常に謙虚な姿勢で、相手にいい印象を与えるようにね。なるべく笑顔で。そういう日々のちょっとした努力が大事なんだよ。相手が社員であれ、外部の人であれ、仕事の基本はコミュニケーションだから。

女：なるほど、コミュニケーションか。

男：実際、仕事ができる人は挨拶がきちっとできるからね。

女：わかった。じゃ、笑顔の練習もしといたほうがいいかな。

男：そうだな。敬語の使い方も練習したほうがいいかもしれないけど。

父は娘に何が特に重要だと言っていますか。

言葉と表現

□ **謙虚（な）**：控え目で、人に対していばったりしないで、素直に意見を聞く態度である様子。

5番　正答3　[16 CD1]

女の人と男の人が話しています。女の人はどうして書道教室に行くことにしましたか。

女：来週から書道教室に行くことにしたの。

男：えっ？ 鈴木さん、書道に興味なんてあったっけ？

女：いいえ、これまではちっとも。実はこの前たまたま近くのデパートで、有名な書道家の書道展をやってたの。それで何気なく入ってみたら、すごく面白かったのよ。気持ちを込めて書いた字って、やっぱり何か力があって、伝わるものなんだなって。これまで、パソコンがあるから、わざわざ手書きで書く必要なんてないって思ってたけど、改めて手書きのよさを実感したのよね。

男：そうだったんだ。たしかに、手紙とか、手書きのほうが気持ちが伝わるもんだよね。

女：ま、これを機に、きれいな字が書けるようにがんばってみるわ。

男：字がきれいに書けるって、けっこう重要だからね。じゃ、僕も書道始めよっかな。実はけっこう得意なんだよね。それに毎日仕事で忙しいから、たまには息抜きも必要だと思うし。

女：いいわね。いっしょに頑張りましょうよ。

女の人はどうして書道教室に行くことにしましたか。

4→男の人が書道教室に行く場合の理由。

言葉と表現

☐ 息抜き：別のことをして気分を変えること。

6番　正答2

女の人が男の人にしてほしいことは何ですか。

男：ただいま〜。

女：お帰りなさい。今日も遅かったわね。……ねえ、体、大丈夫なの？ なんか、すごく疲れている感じよ。もうちょっと早めに帰ったら？

男：大丈夫だよ。今進めてるプロジェクト、初めてリーダーを任されたんだし、気を緩めるわけにはいかないんだよ。それに、ずっと前からやりたいって思ってたものなんだ。

女：仕事にやりがいがあるってのはいいんだけど……。無理はよくないよ。この前テレビの特集でやってたんだけど、サラリーマンの「過労死」が後を絶たないんだって。いくら仕事が好きでも、働きすぎて死んでしまったら、元も子もないでしょ？

男：大丈夫だって。ま、このプロジェクトさえ一段落すれば、ちょっとは余裕がでてくるから、その時に有給をまとめてとろうと思ってるよ(i)。

女：うん、それがいいよ。(ii) とにかく体が一番だってこと、肝に銘じといて。

女の人が男の人にしてほしいことは何ですか。

(i)「休みをとること」を表している。(ii)「賛成」を表している。

言葉と表現

☐ 過労死：働きすぎが原因で死んでしまうこと。
☐ 元も子もない：何もかも失ってしまう。
☐ 一段落する：一つの区切りまで物事が片づく。

7番　正答4

テレビでアナウンサーが登山の人気について話しています。若い女性が登山を始めるようになった一番の理由は何だと言っていますか。

女：ここ数年、登山をする人が増えてきており、ひさびさに「登山ブーム」がやってきたとも言われています。中でも、今回の「登山ブーム」の特徴は、若い女性の登山者が増えてきていることです。ではどうして、若い女性の間で登山をする人が増えてきているのでしょうか。もちろん、登山は健康によく、日ごろのストレスを解消できるという利点もありますが、それよりも、若い女性が喜ぶようなおしゃれな登山服が売られるようになってきたことが大きな要因のようです(i)。登山グッズを扱うお店には、見た目もよく、機能的にも優れた登山服がたくさん並べられています。これまで登山といえば、ちょっと地味な印象でしたが、おしゃれなイメージに変わったことで、若い女性が飛びついたというわけです。

若い女性が登山を始めるようになった一番の理由は何だと言っていますか。

（ⅰ）「〜が（逆接）」の後の部分に注意。ここでは「〜という利点もあるが、それより〜ようです」と意見が述べられている。

言葉と表現

- 飛びつく：興味を持ったものにすぐ反応すること。比喩的な表現。

問題3

例　正答3

テレビでレポーターが話しています。

男：Uターン就職とは、地方出身の人が、都心で一度働いた後に、再び自分の故郷に戻って働くことをいいます。例えば、北海道出身の人が一度東京に出て働き、その後再び北海道に戻って仕事をする、というようなケースです。Uターン就職をした人の声を聞くと、自分のふるさとの自然やライフスタイルに魅力を感じて決断した人が多いようです。都会では時間に余裕のないライフスタイルになりがちですし、物価も高く、住宅を購入することも困難です。そこで、自分のライフスタイルを見直したいという人を中心に、Uターン就職が注目されているのです。

レポーターは主に何について話していますか。

1　都会のライフスタイル
2　都会と地方の物価の差
3　Uターン就職の魅力
4　ふるさとにUターン就職する人の数

言葉と表現

- Uターン：「来た道を戻ること」「東京など都会に出て暮らす人が、実家のある地方に戻ること」の2通りの意味がある。
- 購入(する)：買うこと。

1番　正答1

テレビで男の人が話しています。

男：今年の夏の日本の平均気温は、統計を開始した1898年以降で第3位という高さでした。近年の日本は高温傾向にありますが、昨年の夏は記録的な冷夏でしたので、今年の夏の暑さが際立って感じられたのではないでしょうか。特に西日本では最高気温が35度以上の猛暑日が一週間続くなど、記録的な猛暑となりました。これは、何日にもわたって西日本全体を高気圧

が覆い、強い日差しが地面を暖め続けたことによる影響が大きいとみられます。日本ではここ数年、全国各地で観測史上最高気温の記録が更新されています。これには地球温暖化が関係していると言われますが、全てが温暖化で説明できるわけではなく、他の要因も考えられます。

男の人はどのようなテーマで話をしていますか。

1　猛暑日が増えている原因
2　猛暑が日本社会に与える影響
3　地球温暖化が進む要因
4　地球温暖化が生活に及ぼす影響

言葉と表現

☐ **冷夏**：いつもの年と比べて気温が低めの夏。
☐ **際立つ**：目立つ。
☐ **史上**：歴史において。
☐ **更新(する)**：内容や記録を新たにすること。

2番　正答4　(23 CD1)

テレビで男の人が話しています。

男：日本では冬の終わりから初夏にかけてくしゃみや鼻づまり、目のかゆみといった症状を訴える人が多くいます。これは花粉症の一般的な症状です。花粉症とは、花粉に対して人間の体が起こすアレルギー反応です。60種類以上の植物が花粉症を引き起こすと言われていますが、日本で最も多いのはスギ花粉症です。日本で花粉症が急増したのは1960年代です。第二次世界大戦以降、日本では木材の需要が高まりましたが、供給量は不足気味でした。その対策として、成長が早く、建物の材料として使えるスギやヒノキが日本各地に植えられました。しかしその結果として、春になるとスギの花粉が大量に飛び散り、多くの人のスギ花粉症の発症につながったと考えられています。また、高度経済成長を経て林業が衰退すると、外国から安い木材を輸入するようになり、国内のスギの需要が減っていきました。それにより、大量に植えたスギの個体数が増加を続けて

いることも、スギ花粉症が増えている要因となっています。

この話の主なテーマは何ですか。

1　花粉症の症状
2　花粉症の種類
3　花粉症の治療法
4　花粉症患者の増加

言葉と表現

☐ **アレルギー**：allergy／过敏／알레르기
☐ **反応**：刺激に対して起こる動きや変化。
△ **スギ**：cedar／杉树／삼목
△ **ヒノキ**：cypress／丝柏／노송나무
☐ **発症(する)**：病気の症状が現れる。
☐ **衰退(する)**：力や勢いが弱くなる。

3番　正答4　(24 CD1)

大学の授業で先生が話しています。

男：皆さんは普段、どのぐらい外来語を使っているか、改めて考えてみたことがありますか。一般的に外来語とは、西洋から入ってきたカタカナで表される言葉のことを指して、カタカナ語とも言われます。カタカナ語には、「ラジオ」や「ビール」など、それまで日本になかったものや新しい概念を表し、日本語として定着したものが数多くあります。また、住宅の「居間」を「リビングルーム」と言い換えるように、カタカナにすることで新しいイメージを表現する場合もあります。「ガソリンスタンド」は一見、英語のようにも見えますが、これは外国語を加工して独自の日本語にしたもので、和製語と言われます。中でも、英語を元にしたものが多く、それらは和製英語と言われます。このように、一口にカタカナ語と言っても、いろいろあるわけですが、今日は、皆さんが普段よく使うカタカナ語を分類してみようと思います。

先生は主に何について話していますか。

模擬試験 第1回　解答・解説

1　外来語の定義の仕方
2　外来語の表記の方法
3　カタカナ語の役割
4　カタカナ語の分類

言葉と表現

☐ 定着する：ここでは「人々の間にいきわたる」。
☐ リビングルーム：家の中で中心的な部屋（㊦living room から）。
☐ 言い換える：同じ事柄をほかの言葉で言う。
☐ 一見：ちょっと見ると、ちょっと見たかぎり。
☐ 和製：日本で作られたもの。
☐ 一口に：まとめて簡単に。

4番　正答2　　25 CD1

資料館の音声ガイドで女の人が話しています。

女：こちらに展示されている資料は、この地域の古い民家で発見された、江戸時代後期の庶民の日記です。不要になった紙の裏にびっしりと文字が書かれていることから、当時、庶民にとって紙がとても貴重だったことがわかります。この日記が歴史的資料として重要だとされる理由は、作者自身の生活についてこと細かに記されている上に、村の出来事も詳細に記録されていることです。さらに、家計簿としての役割も果たしていたようで、これを見ると、当時の庶民の暮らしぶりがよくわかります。若干の汚れや破れが見られるものの、保存状態はよいほうで、当時の庶民の生活を知ることができる貴重な資料といえます。

音声ガイドでは主に何について話していますか。

1　展示資料が見つかるまでの経緯
2　展示資料が貴重な理由
3　展示資料からわかった新しい事実
4　展示資料を保存する方法

言葉と表現

☐ 民家：一般の人々の住む家。
☐ 江戸時代：the Edo period (1603〜1867)。

☐ 後期：一定の期間のうちの、後の方の期間。
☐ びっしり：たくさんのものがすきまなく並んでいる様子。
☐ 家計簿：家庭の収入や出費などを記録するためのノート(house hold account book)。
☐ 〜ものの…：〜が、しかし…。

5番　正答2　　26 CD1

テレビでレポーターが話しています。

女：みなさんは「シェアハウス」という言葉を聞いたことはありますか。これは、一軒の家に友人同士、あるいは知らない人同士が一緒に住むことです。アパートやマンションとは違い、キッチンやトイレも共同で使うため、掃除当番など面倒なことも多いとも言われていますが、近年、都市部で若者に人気を集めています。それはどうしてなんでしょうか。住人の方にインタビューをしたところ、シェアハウスでは住人同士で一緒に食事したり、夜遅くまで仕事や恋愛の悩みなどについて、話し込んだりすることもあるそうです。このように、いろいろな話ができる隣人がそばにいることが、シェアハウスならではの魅力だということです。たしかに、今日の社会では、人と人とが直接触れ合う機会はかつてに比べ減ってきていると言われます。このようなシェアハウスは、そんな時代に生きる若者に、必要とされているのかもしれません。

レポーターは何について話していますか。

1　シェアハウスの不便な点
2　シェアハウスが若者に人気の理由
3　若者のコミュニケーション不足の原因
4　都市の住宅の特徴

言葉と表現

☐ 〜ならではの：〜だけの、独自の。

6番　正答2　27 CD1

会社の会議で女の人が研修について話しています。

女：今年度から、大阪支社で新たに導入した社員研修についてご報告させていただきます。大阪支社では、今年から「サバイバル研修」というユニークな研修をはじめました。この研修は、普段は誰も住んでいない無人島で、3日間生活するというものです。ビスケット・水など最低限必要なものは事前に配っておきますが、後は自分たちだけですべてをまかないます。便利な生活になれた私たちにとって無人島での生活は想像を絶するものです。初めのうちは、参加者たちはとにかく困惑した様子でしたが、次第に顔つきが変わってきました。みんなで寝る場所を確保したり、食事を作ったりする中で、お互いに協力しあい、困難を乗り越えようとする姿勢が見られるようになりました。研修後の参加者へのアンケートでは、「研修を受けてよかった」、「協力することの大切さを学んだ」など、肯定的な意見がほとんどでした。

この社員が会議で最も伝えたいことは何ですか。

1　無人島での研修はとてもつらかった
2　この研修はある程度成果がみられた
3　研修には協力的でない参加者もいた
4　研修のおかげで仕事の成績が上がった

> 言葉と表現
> □ 想像を絶する：想像をはるかに越える。
> □ 〜が見られるようになる：好ましい変化や傾向が出てきたことを表すことが多い。

問題4

例　正答3　29 CD1

男：すみません、今お時間よろしいでしょうか。
女：1　ええ、よろしいです。
　　2　いいえ、結構です。
　　3　ええ、何でしょうか。

1番　正答3　30 CD1

男：あの映画、すごく評判だよね。今週末、どう？
女：1　この映画もいいよね。
　　2　役者がいいのかな。
　　3　ちょっと先約があって…。

> 言葉と表現
> □ 先約：相手より先にしてあった約束。

2番　正答2　31 CD1

女：あ、ファックス、送ってくれた？
男：1　わかりました。私がお送りします。
　　2　はい、先方からもう返事をいただきました。
　　3　はい、了解しました。

> 言葉と表現
> □ 先方：相手。

3番　正答2　32 CD1

男：今、何時だと思ってるんですか。
女：1　たぶん1時だと思うんですが。
　　2　あ、響いていましたか。すみません。
　　3　ごめんなさい、ちょっとわかりません。

夜中に騒音を注意されている場面。

模擬試験 第1回　解答・解説

4番　正答1　33 CD1

女：入院中は本当に何から何までお世話になりました。

男：1　お元気になられて本当によかったですね。
　　2　いえいえ、お世話さまでした。
　　3　何のお構いもできませんで。

2→「お世話さまでした」は、お世話になった相手への感謝の言葉。
3→自宅に招いた客が帰るときに言う言葉。

5番　正答2　34 CD1

女：あの、お宅の家賃のお支払いが二カ月滞ってまして、今週中に振り込んでいただきたいんですが…。

男：1　それは振り込んでもらわないといけませんね。
　　2　ご迷惑をおかけしてすみません。すぐ振り込みます。
　　3　お宅が払えないんじゃあ、困りますね。

1→これは第三者（その問題と直接関係のない人）が言う内容。

言葉と表現

□ お宅：あなた。相手に対し、ちょっと距離を置いた言い方。
□ 滞る：物事がうまく進まなくなること。

6番　正答1　35 CD1

男：あのー、来月、まとまったお休みをいただきたいんですが。

女：1　うん。たまにはゆっくり羽を伸ばして。
　　2　来月は休みをもらうわけにはいかないよ。
　　3　うまくまとめてくれてありがとう。

休みをとりたいと、上司に許可を求めている場面。

言葉と表現

□ まとまった休み：一続きの少し長めの休みのこと。

□ 羽を伸ばす：（休みなどを）のんびりと自由に過ごす。

7番　正答3　36 CD1

女：あ、また置きっぱなしにして。食べ終わったらお皿下げなさいっていつも言ってるでしょ！

男：1　わかったよ。下げないで置いとけばいいんでしょ。
　　2　うん。早く食べちゃってね。
　　3　わかってるよ。今やろうと思ってたのに。

言葉と表現

□ 〜っぱなし：〜したままにして放っておくこと。
□ お皿を下げる：（食べ終わった後に）皿などを片づける。

8番　正答1　37 CD1

女：こちらのネクタイでしたら、お客様がお召しのシャツによくお似合いかと。

男：1　じゃあ、ちょっと合わせてみてもいいですか。
　　2　よろしければネクタイもどうぞ。
　　3　試しにつけてみたらいかがですか。

言葉と表現

□ お召しの〜：「今着ている〜」という意味の尊敬語。

9番　正答2　38 CD1

男：この度はこちらの手違いで大変なご迷惑をおかけしまして、お詫びのしようもございません。

女：1　迷惑なら迷惑って言ってくださいね。
　　2　いえ、こちらも確認を徹底すべきでした。
　　3　こちらこそ大変お世話になりました。

ミスについて客に謝っている場面。

言葉と表現

□ 手違い：手配や処理などを間違えること。

10番　正答1　[39 CD1]

男：君の仕事ぶりには、いつも感心させられるよ。
女：1　そう言っていただけて、うれしいです。
　　2　はい、そうさせていただきます。
　　3　おかげさまで、助かりました。

1→ほめられたときによく使う。控えめに喜びを伝える表現。

11番　正答2　[40 CD1]

女：最近、仕事がうまくいかなくて…。どうしたらいいかなあ。
男：1　大丈夫。そんなはずはないよ。
　　2　そんなに気にすることはないよ。
　　3　ご心配をかけて、すみません。

2→落ち込んだり悩んだりしている人を励ます表現。

12番　正答2　[41 CD1]

女：どうしよう。このままだとレポートの締切に間に合わないよ。
男：1　一時はどうなることかと思ったよ。
　　2　早くから始めればよかったのに。
　　3　早く終わってよかったね。

2→「～ばよかった」は過去の判断の誤りなどを後悔する表現。

13番　正答3　[42 CD1]

男：ねえ、今度の日曜、空いてる？
女：1　ううん。空いていなかったんだよ。
　　2　たしか、日曜は10時からだと思うよ。
　　3　うん、何の予定も入ってないよ。

相手の予定を尋ねている場面。

問題5

1番　正答1　[44 CD1]

スーパーの店主とその妻が話しています。

男：先月の売り上げ、また落ちてるよ。何とかして利益を上げる方法を考えないと。
女：売れ残りの廃棄が目立ってるね。売れ筋のものがわかれば発注に無駄がなくなるんだけど。
男：でも、そのためには商品管理のシステムが必要だろ？　結構な金額がかかるぞ。やっぱり経費削減しかないんじゃないかな。
女：でも、アルバイトの人数も減らしたし、これ以上人件費は削れないわよ。品揃えを増やすのはどうかしら。
男：スペースは増やせないぞ。改装するにも経費がかかるし。
女：そうよね。じゃあ、営業時間を延ばすとか。
男：それで経費が増えたら元も子もないだろう。
女：そうね。うーん、やっぱり思い切って管理システムを取り入れましょうよ。
男：そうだな。初期費用はかかるけど、長い目で見れば確実に利益につながるだろうし。そうするか。

利益を上げるために、何をすることにしましたか。

1　商品の発注の仕方を見直す
2　経費を抑える
3　商品の種類や数を増やす
4　営業時間を拡大する

言葉と表現

□ 廃棄（する）：捨てること。
□ 売れ筋：よく売れているもの。
□ 発注（する）：（商品やサービスなど）注文をすること。
□ 結構な：かなりの量の。
□ 経費：必要な費用。
□ 品揃え：扱っている商品の種類や量。
□ 改装（する）：店などの建物のつくりや見た感じを新しく変えること。
□ 元も子もない：すべてを失ってしまうこと。

模擬試験 第1回 解答・解説

2番　正答4

パン屋で店員が話しています。

男1：最近、材料費がどれも高くなってきて困ったもんだなあ。どうにかしないと。
女：やはり商品の価格を上げるしかないでしょうか。
男1：できればそれは最終手段にしたいんだけどな…。
男2：今より安いものを使えばコストは下げられるでしょうが、商品の質は落としたくないですからね。
男1：それはもちろんだよ。
女：一回に仕入れる量を増やしたらどうでしょう？
男1：うーん…。卵や牛乳はできるだけ新鮮なものを使いたいけど、そうするしかないかな…。
男2：あの、材料を直接仕入れれば、質も新鮮さも保証されると思うので、一度仕入れ値を生産者と相談してみてはどうでしょうか。
女：そうですね。安定して仕入れることができれば、それがいいかもしれませんね。
男1：じゃあ、早速いくつか当たってみるか。値段は上げずに、何とかやろう。

問題を解決するために、どうすることになりましたか。

1　パンの値段を上げる
2　材料を安いものに変える
3　一度にたくさんの材料を仕入れる
4　材料を直接生産者から仕入れる

言葉と表現

□ **仕入れる**：buy in ／購入／사 들이다
□ **当たる**：様子を見る、うかがう、確かめる。

3番　質問1：正答2　質問2：正答3

テレビでアナウンサーが話しています。

男：「生活習慣病」は、日常の乱れた生活習慣の積み重ねによって引き起こされる病気です。生活習慣病にはさまざまな病気があり、日本人の約3分の2が生活習慣病で亡くなっているとも言われています。生活習慣病の原因には、遺伝的なものもありますが、普段の生活習慣も大きくかかわっています。その中でも普段の食生活が原因となる場合をいくつかご紹介しますので、ご自分がいくつ当てはまっているか、チェックしてみてください。まず、1つ目は「好き嫌いが多い」です。自分の好きなものばかり食べてはいませんか。2つ目は「食事時間が不規則である」です。毎日の食事時間が決まっていない人も多いのではないでしょうか。3つ目は「毎回お腹いっぱい食べている」です。食べ過ぎは体に負担をかけてしまいます。そして4つ目は「外食が多い」です。忙しいからといって、つい外食で済ませていませんか。さあ、あなたはいくつ当てはまりましたか。

女：あなた、全部当てはまるんじゃない？
男：そんなことないよ。確かに以前はそうだったかもしれないけど、去年の健康診断で悪い結果が出てからは、食生活はかなり改善したからね。まあ、仕事柄、食事の時間だけは決められないんだけど、あとは全部クリアしてるよ。まりこはどうなの？
女：私も、ほぼ大丈夫なんだけど…。ただ…。
男：ただ、何？
女：「腹八分目」ってのが私にはできないのよね。満腹になるまで食べないと、幸せって感じにならないじゃない？

質問1　男の人はどれに当てはまりますか。
質問2　女の人はどれに当てはまりますか。

言葉と表現

□ **〜からといって**：〜ということを理由に。「それを理由に…してはいけない」という批判的な気持ちを表す。
□ **腹八分目**：お腹いっぱいまで食べず、8割くらいにとどめること。

模擬試験 第2回 解答・解説

正答一覧

言語知識（文字・語彙・文法）

問題1		問題5	
1	3	26	1
2	2	27	4
3	1	28	4
4	2	29	1
5	1	30	3
6	3	31	1
問題2		32	4
7	2	33	2
8	4	34	4
9	1	35	4
10	3	問題6	
11	4	36	3
12	1	37	2
13	1	38	4
問題3		39	1
14	3	40	4
15	2	問題7	
16	2	41	3
17	1	42	1
18	1	43	1
19	3	44	4
問題4		45	1
20	4		
21	1		
22	3		
23	2		
24	4		
25	2		

読解

問題8		問題13	
46	1	70	1
47	3	71	4
48	4		
49	3		
問題9			
50	1		
51	3		
52	1		
53	3		
54	1		
55	1		
56	2		
57	4		
58	1		
問題10			
59	1		
60	3		
61	2		
62	2		
問題11			
63	3		
64	1		
65	4		
問題12			
66	1		
67	3		
68	1		
69	4		

聴解

問題1		問題4	
例	2	例	3
1	3	1	1
2	3	2	2
3	3	3	1
4	3	4	3
5	3	5	1
6	4	6	3
問題2		7	3
例	3	8	1
1	2	9	3
2	3	10	1
3	3	11	3
4	1	12	1
5	1	13	2
6	2	問題5	
7	3	1	3
問題3		2	1
例	3	3 (1)	4
1	3	(2)	1
2	2		
3	3		
4	2		
5	3		
6	3		

言語知識

問題1

1 正答3
- 乏しい：足りない、少ない。
- ▶ 乏＝ボウ／とぼーしい
  - 例 貧乏、欠乏（する）。

他の選択肢　1 貧しい　2 寂しい　4 厳しい

2 正答2
- 頻繁：しばしば、度々。
- ▶ 頻＝ヒン　例 頻度、頻発（する）。
- ▶ 繁＝ハン　例 繁栄（する）、頻繁。

3 正答1
- 任務：責任を持ってやらなければならない仕事や役目。
- ▶ 任＝ニン／まかーせる
  - 例 責任、任命（する）、仕事を任せる。

他の選択肢　2 義務　3 責務　4 勤務

4 正答2
- 出世（する）：より高い地位や身分になる。
- ▶ 出＝シュツ／でーる、だーす
  - 例 出現（する）、出国（する）、部屋を出る。
- ▶ 世＝セイ、セ／よ
  - 例 世紀、世間、世の中。

5 正答1
- 貢献（する）：社会などの役に立つように努力する。
- ▶ 貢＝コウ／みつーぐ　例 お金を貢ぐ。
- ▶ 献＝ケン、コン　例 献身的、献立。

6 正答3
- 整う：必要なものが全部ある。きちんとまとまった状態になる。
- ▶ 整＝セイ／ととのーえる、ととのーう
  - 例 整理整頓、身なりを整える。

他の選択肢　1 揃う　2 至る　4 滞る

問題2

7 正答2
- コスト：商品などを作るために必要な費用。英 cost から。
  - 例 コストを抑える、輸送コストが高い。

他の選択肢
1 リスク：危険、恐れ。英 risk から。
  - 例 リスクが大きい、リスクを伴う。
3 ダメージ：損害、被害。英 damage から。
  - 例 ダメージを与える、ダメージを受ける。
4 デメリット：欠点、短所。英 demerit から。
  - 例 それをする場合のデメリットを考える。
  - ⇔メリット：利点、長所。英 merit から。

8 正答4
- 進歩（する）：物事がより良いほうへ進んでいく。
  - 例 著しい進歩を遂げる。

他の選択肢
1 更新（する）：新しくする。契約をさらに続ける。
  - 例 世界記録を更新する、契約の更新。

2 発明(する)：それまでになかったものを新しく作り出す。例 電話を発明する、発明家。
3 考案(する)：工夫して、より良い方法などを考え出す。
例 より効果的な方法を考案する。（※「考えて、アイデアを出す」ことに重点がある。）

9 正答 1

□ 専用：特に決められた人だけが使う。特に決められた目的にだけ使う。
例 女性専用の車両、読み取り専用のファイル。

他の選択肢

4 私用：個人的な用事。
例 私用で会社の電話を使わないでください。

10 正答 3

□ 手が込む：手間がかかっている。
例 手が込んだ料理。

他の選択肢

1 手が届く：自分の能力で手に入れられる。
例 中古品なら手が届く、優勝に手が届く。
2 手が出ない：自分の能力では何もできない。
例 高価で手が出ない。
4 手が回らない：そのことまでできない。
例 忙しくて、この部屋の掃除に手が回らなかった。

11 正答 4

□ 平穏(な)：変わったことがなく、おだやかである。
例 平穏な生活、平穏に暮らす、平穏を取り戻す。

他の選択肢

1 安心(する)：心配することがなく、心が落ち着いている。
例 彼女が一緒にいれば安心だ。／安心して眠る。

2 安全：命の危険などがなく、安心できる
例 安全な場所、食の安全、安全を脅かす。
3 平安：平和で、変わったことがない。
例 心の平安を求める。

12 正答 1

□ 実～：現実の～。実際の～。本当の～。
例 実社会、実年齢、実話。

他の選択肢

2 真～：ちょうど～。本当に～。
例 真正面、真っ白、真新しい。
3 本～：この～。本来の～。本当の～。中心となる～。
例 本書、本業、本心、本社。
4 当～：この～。その～。
例 当社、当店、当ホテル。

13 正答 1

□ 高さ：高いこと。
例 質の高さ、失業率の高さ。

他の選択肢

2 強さ：強いこと。例 風の強さ、気持ちの強さ。
3 深さ：深いこと。例 愛情の深さ。
4 良さ：いいこと。例 人柄の良さ。

問題 3

14 正答 3

□ みすぼらしい：外から見える部分が貧しい感じがする。
例 みすぼらしい格好、みすぼらしい家。
（※人、服装、建物について言う。）

15 正答 2

□ とぼける：質問されたときに、わざと知らないふりをする。例 とぼけた顔をする。

模擬試験 第2回 解答・解説

他の選択肢
1 無視(する):ignore／无视／무시
例 忠告を無視する、信号無視。

16 正答2

□ あらすじ:小説や映画などのだいたいの内容。例 あらすじを読む。

17 正答1

□ そこそこ:まあまあ。
例 彼は英語がそこそこ話せる。

他の選択肢
2 やや:(他のものより)少し。
  例 ここは前の部屋よりやや広い。
4 あまりに:非常に。～すぎる。
  例 あまりに高くて買えなかった。

18 正答1

□ 携わる:人が、ある仕事や分野に関係する。
例 英語教育に携わる。

19 正答3

□ メリット:利益、長所、価値。英 merit から。
例 この計画には大きなメリットがある。
⇔ デメリット:不利益、短所。英 demerit から。

問題4

20 正答4

□ もろい:弱くて壊れやすい。
例 壁がもろい。／もろい友情。(※ 建物や精神的なことなどについて言うことが多い。)

他の選択肢 1 柔らかくて(おいしい肉)、2 弱々しい声、3 体の弱い、などが適当。

21 正答1

□ 加入(する):団体や組織の会員になる。
例 労働組合に加入する、加入手続き。

他の選択肢 2 牛乳を加えて、3 入学し、4 預金した、などが適当。

22 正答3

□ のどか(な):静かで穏やか。
例 のどかな田舎町。
(※その場所や景色が持つ雰囲気を表す。)

他の選択肢 1 穏やかな性格、2 ゆるやかな坂道、4 穏やかな方法、などが適当。

23 正答2

□ 見通し:この後どうなるかという予測。
例 今後の見通し、見通しが立つ。
(=この後どうなるか予測できる。)

他の選択肢 1 見込みがある(=可能性がある)、3 見当がつかない(=考えられるところがない)、4 あてもなく(=特に目的もなく)、などが適当。

24 正答4

□ とっさに:その瞬間に。
例 子どもが急に道路に飛び出してきたので、とっさにブレーキを踏んだ。(※ 意識しないで、体が自然に反応した動作について言う。)

他の選択肢 1 急に、2 とっくに、3 すぐに、などが適当。

25 正答2

□ ずれ:互いの間で合うべきものが合っていない状態。例 考え方のずれ、ずれが生じる。

他の選択肢 1 差があった、3 違いがある、4 違いがある、などが適当。

問題5

26 正答1

- □ 残業続き：残業が続いていること
- □ 〜ことだし：いくつか考えられる理由の一つを述べる。

27 正答4

- □ 精魂：気持ち
- □ 〜を込めて：気持ち、願いなどを入れて。
- □ 〜をもって：〜で（手段・方法、基準など）。
  - 例 この投票結果をもって、当選者が決まります。
  - 例 当店は、今月いっぱいをもって閉店いたします。

28 正答4

- □ 内定を蹴る：内定を断る。
- □ 〜をよそに：〜を気にしないで。ある者にとって全く関係ないものとして。
  - 例 家族の心配をよそに、旅行に出かけた。
- □ 〜を尻目に：ある者にとって関係あるものを無視して。
  - 例 受験勉強に忙しい同級生たちを尻目に、彼女は推薦で大学に合格した。

29 正答1

- □ 〜せずにはいられない：抑えることができずに〜する。

30 正答3

- □ 〜せてもらってもいいかな：「〜せてもらう」＋「てもいい」。相手に許可を求める。

31 正答1

- □ 〜ものの：〜であるが。ある事柄を肯定しつつも、不満を表す表現。
  - 例 景気は回復に向かってはいるものの、相変わらず高い失業率だ。
- □ 〜からには：〜なら、〜以上は。後に「必ずしなければならないこと」などが来る。
  - 例 約束したからには、必ず来てほしい。
- □ 〜くせに：〜のに。ある事実に反する行動などへの非難や否定的な気持ちを表す。
  - 例 大学生のくせに、そんなことも知らないの？
- □ 〜とあって：〜ということ（なの）で。
  - 例 テレビに出るのは初めてとあって、彼はとても緊張していた。

32 正答4

- □ 〜させていただく：「〜する」の謙譲表現。
- ※ 謙譲表現：自分を下に置くことで、相手への尊敬の気持ちを表す表現。

33 正答2

- □ 胡散臭い：怪しい、信用できない。
- □ 〜からして：〜から判断しただけでも（一つの例だけで十分そう思える）。

34 正答4

- □ 伺う：「聞く、尋ねる」の丁寧な言い方。
  - 例 この件についてご意見を伺いたいと思います。

模擬試験 第2回 解答・解説

35 正答4

- 成し遂げる：達成する、完成させる。
- ～得ない：～することができない。

問題6

36 正答3

英語の辞書などに ₄そのまま ₁掲載されるほど ₃国際語となった ₂過労死であるが、減少するばかりか事態は一層深刻になっている。

⇒ 〈[〈英語の辞書などにそのまま掲載されるほど〉国際語となった過労死]であるが〉、〈減少するばかりか〉事態は一層深刻になっている。

- ～ばかりか：～だけでなく、その上に。

37 正答2

全国高校サッカー選手権は5日、決勝が行われ、A校が延長戦 ₄の ₃末に ₂B校 ₁を 下し、初の優勝を果たした。

⇒ 全国高校サッカー選手権は5日、決勝が行われ、《A校が〈延長戦の末に〉B校を下し》、[初の優勝]を果たした。

- ～の末に：～の結果。

38 正答4

彼にまた貸した本を汚されちゃって、まいったよ。一度 ₂だけ ₃なら ₄まだしも ₁二度三度 となると、もう貸したくない。

⇒ 彼にまた貸した本を汚されちゃって、まいったよ。《〈一度だけならまだしも〉二度三度となると》、もう貸したくない。

- ～ならまだしも：～ならまだ許せるが。

39 正答1

彼女は、₄新人 ₂ながら ₁ベテラン ₃かと思うような 落ち着きぶりだった。

⇒ 彼女は、[〈新人ながら〉〈ベテランかと思うような〉落ち着きぶり]だった。

- ～ながら：～なのに。
- ～かのように：実際はそうではないが、そうであるように。

40 正答4

さんざん ₃待たされた ₁あげくに ₄診察が ₂たったの2分だった。

⇒ 〈さんざん待たされたあげくに〉診察がたったの2分だった。

- ～あげくに：「～あと、結局」という意味で、努力や手間に反して良くない結果が出たときに使う。

問題7

41 正答3

「その[41]」は前の部分を受けたものと考えられる。一つ前の文で「安く買える」ことが述べられている。

- ～ゆえに：まさに～が原因で。
  - 例 若さゆえにばかな失敗をすることもある。
- ～さえ：～でも、～であっても。たったそれだけのことでも。
  - 例 足が痛くて、歩くことさえできなかった。
  - 例 名前さえわかれば、調べられるんだけどなあ。

42 正答1

「大事に長く使うものとは考えられていない」という事実を認めた上で、その証拠となる例を挙げている。

43 正答 1

直前の「現在、世界では…地球規模で取り組むように…」から「多くの国でリサイクル活動をしている」ことを読み取る。

44 正答 4

第3段落4行目「彼女は〜」以降の文は水洗トイレのレバーについて書かれている。「大・小」が水の使用量の調節に用いられることを読み取る。

45 正答 1

「MOTTAINAI」が世界に知られる前と後での意識の変化について述べている。第3段落5〜6行目「気にもかけないでいた」のは以前のことなので、「それまでは」が適当。外国人に評価されてから「誇りに思うようになった」と、それまでとは違うことが書かれているので「ところが」が適当。

読　解

問題8（短文）

(1)「合唱コンクール」

46 正答1

「一つになった時に生まれるハーモニーには、何物にも代えがたい美しさがある」がヒント。

他の選択肢

2→「高価な楽器」「誰でも自由に参加」にあたる言及はない。
3→「力を合わせる」とは言っているが、「欠点を補い合う」とは言っていない
4→「個性を生かせる」とは言っていない。

言葉と表現

- **ひたむきに**：余計なことは考えずに、一つのことに心を向けている様子。
- **ともすれば**：場合によっては、簡単にそのようになってしまう。良くない状態になることを心配して言う場合が多い。
  - 例 自分に自信がないうちは、<u>ともすれば</u>、人に頼ってしまう。

(2)「知覚の選択性」

47 正答3

知覚の選択性とは「知覚主体＝知覚する者」が持つ要因によって無意識に情報が選ばれること。自分に必要な情報が選択されているのは3。

他の選択肢

1、2→これらは意識的に行われること。

言葉と表現

- **知覚**：（特に目や耳、口、手などを通して）感じ取ること。
- **主体**：意志を持ったり動作をしたりするもの（subject）。
  ⇔ **客体**：主体の意志や動作の対象となるもの（object）。
- **取捨選択**：必要なものを選び取り、不要なものを捨てること。
- **ふり**：それらしく見せる態度や動作。
  - 例 寝たふり、知らないふり
- **カラフル（な）**：色が豊か。英 colorful から。

(3)「生レバーの販売禁止」

48 正答4

「危険すなわち規制・禁止でいいのだろうか（＝よくない）」と述べ、「食に対して完全に受け身になりつつある」消費者の意識を問題にしている。

他の選択肢

1→むしろ生食が消えることを心配している。
2→飲食店に任せっきりであることを問題にしている。
3→「消費者の自由」は問題とされていない。

言葉と表現

- **食中毒**：food poisoning／食物中毒／식중독
- **受け身**：消極的な態度や様子。
- **メーカー**：商品の製造会社。
- **委ねる**：対応や処理などを人に任せる。
- **リスク**：危険。事故などが起こる可能性。英 risk から。
- **視野に入れる**：考えに入れる。可能性を考える。

(4)「医療機器の開発」

49 正答3

「その機器に必要なものを知っているのは医者」「実用的な発想力」がキーポイント。

他の選択肢

1→患者の視点については言及していない。
2→「ごく実用的な」とニュアンスがずれる。
4→「素人ならではの」が間違い。

言葉と表現

□ **革新的（な）**：innovative ／創新／혁신적인
　類 先駆的（な）、画期的（な）
□ **あくまで（も）**：どこまでも、完全に。
□ **素人**：ある物事の経験が少ない人。専門家でない人。⇔ 玄人、プロ
□ **心に置く**：注意する。
□ **〜に根差す**：〜を基盤としている。
□ **ひらめき**：（アイディアなどが）瞬間的に思い浮かぶこと。動 ひらめく
□ **〜を突く**：（弱点、本質、論理の穴、矛盾点など）を指摘する、攻める。

問題9（中文）

(1)「人類と建築の歴史」

50 正答1

第1段落の「安らぎといこい」「家族の絆もさぞ強まったことだろう」をヒントに。

他の選択肢

2→「家の出現」以前でも考えられる。また、言及なし。
3、4→言及なし。

51 正答3

前の2つの文「…自分が昔の自分と同じことを、昔の自分が今の自分まで続いていることを、確認…」「自分はずっと自分である。」をヒントに。

他の選択肢

先祖とのつながり、自分の変わらない性格、経験が生かされること、などは関係ない。

52 正答1

最後の2文、「…人間の自己確認作業を強化」「このことが家というものの一番大事な役割」に注目する。

他の選択肢

2、3→一般的に認められる「役割」。筆者が主張しているものではない。

言葉と表現

□ **安らぎ**：心が落ち着き、穏やかな状態でいる様子。
□ **いこい**：休息。
□ **炉**：主に部屋を暖めるために火を燃やすところ。
□ **絆**：人と人との結びつき。
□ **こみ上げる**：感情が抑えようとしても抑えきれずにあふれ出てくる。
□ **しみじみ**：心にしみる感じ。
□ **シーン**：場面、光景。
□ **集落**：山や海・川のそばに、家が自然に集まっているところ。

(2)「街道をゆく」

53 正答3

Tさんは感動すると肩が凝る。今回は「平凡な緑と空」の「絶景」（※あえて本来の「珍しい→絶景」と逆のパターンで使っている）に感動した。

54 正答1

「この浴室における大発見」に感動した。大発見とは「浸っている湯は温泉であった」こと

模擬試験 第2回 解答・解説

55 正答 1

「(知識としてすでに知っている。でも、)肉体をもってこれが温泉であるということを知る(=実際に感じる)→突如声を発する(=感動を表す)」という流れ。

言葉と表現
- 同行：一緒に行くこと。
- 変哲もない：平凡で、特別に言うほどのこともない。
- 北上：北に向かって行くこと。
- いまや：いまでは、いまはもう。
- 絶景：とても美しい景色。
- 無縁：関係のないこと。
- 不意に：突然、急に。
- 浸る：水や湯の中に入る。
- 見入る：心を奪われてじっと見る。

(3)「ボランティアという立場」

56 正答 2

ここでの「事態」は、「どういう行動をとるか、判断を迫られる状況」あるいは「判断に困るような状況」と読み取る。

他の選択肢
1→募金をすることに否定的な考えはない。
3→トラブルになる可能性には触れていない。

57 正答 4

直後の「…経済活動の果実(=実り、恩恵、成果)の偏在(=偏っている、バランスよく分配されていない)」に注目する。

58 正答 1

直前の「自分だけ高い生活水準をエンジョイしつつ、世界に蔓延する飢餓は自分の問題ではないと言いきれない」がヒント。「自分の問題でもあるのではないか」と悩むつらさを言っている。

言葉と表現
- 飢餓：飢え。
- 難民：戦争や政治的な理由などにより、本来住む土地や国から追われた人。
- うしろめたさ：自分に責められるような点があるのにそのままにして、申し訳なく思う気持ち。
- 事態が収まる：面倒なことになっていた状況が落ち着く、問題が解決されたりなくなったりする。
- 表明(する)：自分の考えや意志などをはっきり表すこと。例 引退を表明する
- 共有(する)：to share／共享／공유
- 格差：本来同じであるべきなのに、生じた差。例 収入格差、男女の格差、格差のない社会

問題10 (長文)

「取材学」

59 正答 1

次の文に「じぶんたちのほうがえらいのだ、という錯覚におちいる。」とある。1が近い。

他の選択肢
2、4→意見の対立、精神的負担があるとは書いていない。
3→情報が得られるかどうかではなく、心構えを問題にしている。

60 正答 3

「ワナ」は動物を捕えるためのしかけ。

他の選択肢

1→後の「ひっかかる」と合わない。
2→誰かにだまされるわけではない。

61 正答 2

「大成する」は立派な業績を持つすぐれた人物になること。ここでは「すばらしい取材能力を持った記者になること」を指す。

他の選択肢

1、3→「悪い評判がつく」「何もしなくても基本的な情報が得られる」という記述はない。
4→見た目の印象は問題にしていない。

62 正答 2

他の選択肢

1→「何も知らない」「誰からも尊敬される」が×。
3→「真実の追求」「情報感覚」は記述がない。
4→「取材後のお礼」を評価するが、個人的な付き合いについて言及はない。

言葉と表現

- 丁重(な)：心がこもっていて礼儀正しい。
  例 ありがたい申し出だったが、丁重にお断りした。
- ～ゆえ(に)：～のため(に)[理由]。
- 乞う：頼んで何かをもらうこと。
- ～なんぞありはしない：～なんかない、～などない。
- 肩書き：その人の社会的な身分を表すもの。
- 大げさ(な)：実際より大きく表現される様子。
- いささかなりとも：ほんの少しでも。
- 尊大(な)：自分は偉いという態度で人を上から見下ろす様子。
- △ コワもて：強面。怖い顔。人に恐れを抱かせる人物。
- 不当(な)：適当でない。納得できるようなものでない。
- 自負：自分の才能や仕事などに自信を持つこと。
- わな：動物などを捕らえるためのしかけ。
- (～に)ひっかかる：何かが掛かって動きを止められる。
  例 コードに足がひっかかる、木の枝に服がひっかかる、悪い男にひっかかる
- 柔和(な)：やさしくおだやかなこと。
- 肩ひじ張る：無理に強がったり平気なふりをしたりする。
- さしつかえない：差し支えない。何かをするのに妨げや問題になるものがない。

問題11（統合理解）

「格安航空会社」

63 正答 3

他の選択肢

1、2→AとBの両方に記述あり。
4→AにもBにも書かれていない。

64 正答 1

他の選択肢

2→Aの「誰もが気軽に利用できる」が×。
3→Bは予約のキャンセルや変更には言及していない。
4→A「多少不便」、B「合理的である」が×。

65 正答 4

他の選択肢

1→Aはサービスを肯定的にとらえているので×。
2→Bは「便の遅延や欠航」について言及していない。
3→B「合理的である」が×。

言葉と表現

- 席巻する：（市場などで）激しい勢いで勢力範囲を広げていくこと。

- □ (成長)ぶり：〜の様子。
  - 例 社長の熱心な仕事ぶりにはいつも驚かされる。
- □ フライト：飛行。英 flight から。
- □ ほおばる：口の中いっぱいに食べ物を入れる。
- □ 安かろう、悪かろう：安いからその分品質もよくない、ということ。
- □ 落とし穴：不注意などで突然に良くない事態になること。
- □ (変更が)きく：〜が可能である、〜が機能する。
- □ 遅延(する)：遅れること。
- □ 日常茶飯事：よく起こること。ありふれたこと。
- □ 本格：簡単な形ではなく、本来の形式による。
- □ 参入(する)：市場などに新たに加わること。
- □ あの手この手：いろいろな方法。
- □ アメニティー：環境の快適さ、そのための設備。
- □ 何とも：何と言っていいかわからないほど。全く
  - 例 何ともお詫びのしようもありません。
- □ 浸透(する)：人々の間に広く行き渡ること。
- □ 層：年齢や性別など一定の共通要素を持つ集団。
- □ 懸念(する)：気にかかって不安に思うこと。
- □ 問題視(する)：問題として注目すること。
- □ 朗報：いい知らせ。
- □ 好意的(な)：(人などの対象に)好感を持っている様子。その人に利益が及ぶように考える様子。

問題12（主張理解）

「演劇とは何か」

66 正答 1

第2段落に注目。「ではこの人間関係の創造とは、何であるのか」に対して「つまり、ある表現行為を契機にして他人と共に人間について考え、想像すること」とある。1が最も近い。

他の選択肢

2→芸術を通して人間関係を築くわけではない。
3→「作者の人間関係」を考えることではない。
4→作品中の人間関係を理解するだけではない。

67 正答 3

第4段落に注目。「それが創られた音であり色である」ことから「そうした音や色を創りだすために自分自身の全エネルギーを捧げる人間とはいったい何なのか」を考える。3が最も近い。

68 正答 1

本文の趣旨から、芸術などの創作活動による作品と理解する。

69 正答 4

第6段落に注目。「価値ある芸術作品は、多様な人間関係や…感受性や考え方を変更しうる力をもっています」とある。4が最も近い。

他の選択肢

1→社会や世界について考えるきっかけを与えるが、制度や仕組みを変えるわけではない。
2→作者の生きた人生や社会がテーマではない。
3→「日常を忘れる」とは書いていない。

言葉と表現

- □ 第三者：「(その問題に)直接かかわりのある

- □ 前提：ある事が成立するための第一の条件。
- □ 共有(する)：share／共享／공유
- □ にもかかわらず：それなのに、しかし。
- □ 在り方：物事のあるべき姿。
- □ 読み解く：物事の意味を理解し、明らかにする。
- □ 人間模様：複雑な人間関係。
- □ 境遇：その人が置かれた、家庭環境や人間関係などの状況。
- □ 掻き立てる：刺激となって感情やイメージを引き起こす。
- □ 没頭する：一つのことに熱中する。

- □ 所定の：決められている。
- □ 願書：application／応用／원서
- □ 出願(する)：願書を出すこと。
- □ 照会(する)：問い合わせて確かめること。
- □ 発送(する)：郵便物や荷物を送ること。

問題13（情報検索）

「学生寮入寮案内」

70 正答1

まず「部屋の設備」に注目する。「トイレ付」はA寮とD寮。続いて食事について見ると、ヤンさんの場合、「食費」を払うD寮はふさわしくない。

他の選択肢

2、3→B・C寮は、トイレが「共同設備」（寮に住む人が一緒に利用する設備）に入っている。

71 正答4

「4. 入寮選考結果の通知方法」に注目する。「結果の通知書を発送」と書いてある。

他の選択肢

1→電話には「応じかねます（＝応じられない）」。
2→大学で結果が発表されるとは書いていない。

言葉と表現

- □ ～先：～する（対象の）場所。
  - 例 旅行先、勤め先
- □ 光熱費：電気やガスなどの費用。
- □ 自炊(する)：自分で食事を作ること。

聴 解

問題1

例　正答2　　03 CD2

大学で男の学生と先生が話しています。学生はこのあとどうしますか。

男：先生、すみません、私の発表が再来週なんですが、ちょうどその日に企業の実習が重なってしまいまして…。就職を希望しているところなので、できればそれに行きたいのですが、発表の日にちを変更していただくことはできないでしょうか。

女：そうですか。そういうことなら仕方ないですね。じゃあ、その日は発表は誰かに代わってもらいましょうか。ああ、田中さんがまだ一度も発表していないから、まずは田中さんに聞いてみてください。

男：わかりました。すぐに確認します。

女：もし田中さんが無理だったら、次のゼミの時に全員に聞いてみましょう。

男：はい、わかりました。

女：どちらにしても、わかり次第連絡してください。

男：はい、ありがとうございます。

学生はこのあとどうしますか。

1番　正答3　　04 CD2

日本人の男の人と留学生の女の人が異文化交流会のスピーチについて話しています。女の人はどのテーマでスピーチしますか。

女：ちょっと、相談があるんだけど…。
男：なに？
女：今度、私が住んでる地域で異文化交流会があるんだけど、そこでスピーチしてほしいって頼まれちゃって…。
男：へー。
女：それで、テーマを何にしようか、迷ってるのよね。「言葉」とか「身振り手振り」、「食文化」、あと「家のつくり」なんかどうかなって…。
男：どれもおもしろそうだね。ところで、その交流会に来るのは、どんな人たちなの？
女：地域の主婦とか、子供たちだって。
男：そうか。じゃあ、ことばとか家のつくりとか、小難しい内容は退屈するだろうね。料理だったらみんな興味あるんじゃない？　作って持って行ったりしてね。それか、「身振り手振り」なら、実際にやってみたり、クイズなんかも出したら盛り上がりそう！
女：それ、いいね。うーん、どっちにしようかな(i)。料理も捨てがたいけど、スピーチのあと食事会あるし、やっぱり子供たちと一緒に楽しめるほうがいいかな。
男：うん。それがいいよ。

女の人はどのテーマでスピーチしますか。

(i)「食文化」か「身振り手振り」で迷っていたが、料理よりも「一緒に楽しめるほう（＝身振り手振り）」を選んでいる。

言葉と表現

☐ 身振り手振り：コミュニケーションのために行う体の動き。ジェスチャーとも言う。

☐ 〜も捨てがたい：（何かを選んでいるときに）〜もよく、簡単にははずせない。

2番　正答3　　05 CD2

ホテルの館内放送で女の人が話しています。ホテルに泊まっている人はこのあとすぐ何をしなければいけませんか。

女：ただ今、火災警報が鳴っておりますが、出火があったとの情報は入っておりません。誤作動の可能性が高い模様ですが、確認がとれるまでしばらくこのままでお待ちください。念のた

め、この間に、お連れの方やお荷物などを今一度お確かめいただき、万一の場合に備えていただければと思います。また、避難をすることになった場合は、従業員の誘導に従って、落ち着いて移動にご協力いただくようお願いいたします。

ホテルに泊まっている人はこのあとすぐ何をしなければいけませんか。

言葉と表現

- 警報：alarm／報警／경보
- 出火（する）：火事が起きること。
- 従業員：ホテルで働いている人。

3番　正答3　06 CD2

女の人と男の人が新製品のポスターについて話しています。女の人はこのあと何をしなければなりませんか。

女：部長、今、お時間いただけますか。会議でお話しした新製品のポスターの案を見ていただきたいのですが。
男：どうぞ。…へー、色が鮮やかだね。
女：はい。今回のテーマの「華やかさ」を一番にうったえられるよう色合いを明るくしてみました。
男：うん、確かに色合いはいいね。でも、キャッチフレーズの字が小さくてちょっと目立たなくなってしまっていないかな。
女：そう言われてみると…。
男：ちょっと離れた場所から見てみるといいよ。私が持っているから、ドアの近くまで行って見てごらん。
女：すみません。…うーん。確かにキャッチフレーズがあまり目に入ってこないですね。
男：でも、気になるのはそこだけですね。
女：わかりました。ありがとうございます。

女の人はこのあと何をしなければなりませんか。

言葉と表現

- 色合い：色の具合、色の調子。

- キャッチフレーズ：強い印象を与えるための短い宣伝文句（英 catchphrase から）。

4番　正答3　07 CD2

女の人がプリンターのサポートセンターに電話しています。女の人はこのあとまず何をしなければなりませんか。

男：はい。サポートセンターです。
女：あのう、パソコンを買い替えたんですが、プリンターはそのまま使えますか。機種はMP-501です。
男：はい、お使いいただけますが、もう一度設定をしていただく必要があります。プリンターの説明書はお手元にございますか。
女：すみません、ちょっと出てこないです。
男：インターネットで見ていただくこともできますが。
女：インターネットの接続もこれからなんです。プリンターを買った時についてきたCDはあるんですが。
男：では、そちらをパソコンに入れていただけますか。
女：あ、はい。
男：画面に「インストールの開始」というボタンが出ましたでしょうか。
女：出ました。
男：それを押すと、自動的に設定が行われます。設定が終わりましたら、パソコンを再起動させてください。そうしたら、使えるようになります。
女：えーと、このボタンを押して設定が終わったら、パソコンを再起動するんですね。わかりました。
男：お電話ありがとうございました。

女の人はこのあとまず何をしなければなりませんか。

言葉と表現

- 機種：機械の種類。
- 設定（する）：（パソコンなどが使える状態になるように）新たに形式などを定めること。

模擬試験 第2回 解答・解説

□ **手元**：(手の届くくらい)すぐそば。
□ **再起動(する)**：(パソコンを)一度終了させ、もう一度つけること。

5番　正答3　08 CD2

工場で、女の人と男の人が話しています。男の人はこのあとどうしますか。

女：お世話になります。新しい化粧品の容器、どんな感じに仕上がりましたか。
男：こちらなんですが、いかがでしょう。
女：あ、すごく軽いですね。触ってみたところ、丈夫そうですし。
男：ビンの原料の配合を変えて、軽量化に成功したんです。
女：そうなんですか。デザインもイメージ通りです。従来よりも持ちやすくなりましたし。
男：ありがとうございます。
女：このふたの部分なんですが、上に持ち上げて開けるタイプに変更できますか。回して開けるタイプは、最近使い勝手が悪いと不評で…。
男：はい。サイズを調整すれば大丈夫です。
女：じゃあ、お願いします。あの…ビンの色はもう少し薄くすることは可能ですか。
男：そうですね…できないことはないんですが、化粧品の保存のことを考えますと、このままのほうがいいと思います。
女：そうですか。じゃあ、このままで。
男：では、改良にもう少し時間がかかりますが、でき次第、ご連絡します。
女：はい。よろしくお願いします。

男の人はこのあとどうしますか。

1、2 → これらはすでに改良された点。

言葉と表現

□ **配合(する)**：2種類以上の物を組み合わせること。
□ **軽量化**：重さを軽くすること。
□ **使い勝手が悪い**：使いにくい。
□ **不評**：評判がよくない。

6番　正答4　09 CD2

レストランで店長とアルバイトの女の人が話しています。女の人はこれからまず何をしますか。

男：それじゃあ、来週月曜日から勤務開始ということでいいですね。
女：はい。よろしくお願いいたします。
男：これがこの店の制服です。出勤したら、まずこれに着替えてください。
女：はい。わかりました。
男：あのー、年末年始について、勤務が可能な日を教えてもらえますか。
女：すみません、ちょっとまだ予定がはっきりしないので、もう少しお時間をいただいてもいいでしょうか。
男：来週いっぱいまでなら間に合いますが、できるだけ早く教えてもらえると助かります。
女：申し訳ありません。あの、お店のメニューを覚えておきたいんですが、メニューをお借りしてもよろしいでしょうか。
男：もちろん。頑張って覚えてください。レジの操作のほうは大丈夫ですか。
女：はい、先ほど説明していただきましたので。あ、でも、念のため、もう一度確認させてもらってもいいでしょうか。
男：じゃあ、開店まで少し時間がありますから、お客さんが来ないうちにおさらいしておきましょう。
女：わかりました。ありがとうございます。

女の人はこれからまず何をしますか。

言葉と表現

□ **年末年始**：一年の終わりと始まりの時期。
□ **おさらいする**：最後にもう一度確かめたり練習したりする。

解答・解説

問題2

例　正答3　[11 CD2]

男の人と女の人が話しています。男の人が国内旅行にしたいと言っている理由は何ですか。

男：夏休みのオーストラリア旅行の件だけど、あれ、やっぱり国内旅行にしない？
女：えっ？どうして急にそんなこと言うの？ずっと前から計画して、貯金もしてきたじゃない。
男：う、うん…。
女：それに、シドニーの山田さんに街を案内してもらう約束までしてたじゃない。急にキャンセルなんてできないわよ。
男：それはそうなんだけど、8月に大きなプロジェクトを任されて、休むわけにいかなくなったんだよ。
女：そんな…。
男：山田さんにはまた別の機会に行くって連絡しとくからさ。
女：うーん。
男：まあ、でも、近場の温泉とかでのんびりするのもいいんじゃないかな？
女：あーあ。せっかく楽しみにしてたのに。

男の人が国内旅行にしたいと言っている理由は何ですか。

1番　正答2　[12 CD2]

会社で先輩の社員と後輩の社員が話しています。先輩の社員はクレームに対応するときは、何が大切だと言っていますか。

女：先輩、さっき、またお客さんからクレームの電話があったんです。うちの商品は壊れやすいだの、使いにくいだの…、文句ばかりで…。私も謝ってばかりで疲れちゃいました。
男：確かに大変だよな。でも、お客さんからのクレームには、むしろ感謝するくらいの気持ちで接したほうがいいと思うよ。
女：そうですか…。でも、私やっぱり苦手です。
男：気持ちはわかるけど、そうやって消極的にとらえるより、プラスにとらえるほうがいいよ。クレームに対応するときは、ただ謝るんじゃなく、とにかくお客さんの言葉を丁寧に聞くことだよ。そうすることで、お客さんの気持ちも収まっていくから。「なるほど」と思うこともあるし、商品のヒントになることもあるしね。
女：そうですね。
男：あまりいやだいやだと思わないことだよ。まあ、時々手に負えないお客さんもいるけどね。そういうときはすぐに言って。
女：はい、ありがとうございます。

先輩の社員はクレームに対応するときは、何が大切だと言っていますか。

言葉と表現

☐ ～だの、～だの：マイナス評価の例を挙げるときの表現。

☐ 気持ちが収まる：怒りや不満が弱まり落ち着く。

☐ 手に負えない：自分の力では処理できない。

2番　正答3　[13 CD2]

大学で先輩の学生と後輩の学生が話しています。後輩の学生はどうして落ち込んでいますか。

女：は～。
男：どうしたの？
女：実は私、この大学に入るのがずっと前からの夢だったんですけど、実際に入ってみると、思ってたのと全然違うっていうか…。
男：どんなところが違ってたの？
女：父もこの大学出身で、子供のころから大学の話をよく聞いていて、あこがれていたんです。みんな夢を持って一生懸命勉強をしていたって……。
男：でも、それが実際は違ったんだね。
女：ええ。授業中に寝ている学生もいますし、ひどい学生は授業をさぼってばかり。研究は二の次で、サークルやアルバイトのことしか考えてなさそうな学生も多いですし……。

男：耳が痛いな。でも、真剣に勉強に取り組んでいる学生もたくさんいるよ。今度うちのゼミに顔出してみたら？
女：本当ですか。ありがとうございます。是非伺います。

後輩の学生はどうして落ち込んでいますか。

3番　正答3　14 CD2

女の人と男の人が習い事について話をしています。習い事を始めたことによる意外な効果は何だと言っていますか。

女：あれ、お弁当作ってきたの？　すごーい。
男：外食続きじゃ体に悪いと思って、料理教室に通ってるんだ。といっても、まだ外食の方が多いけどね。
女：へー。料理教室に通う男性が増えてるって、テレビでもやってた。
男：そうなんだよ。女性ばっかりなのかと思っていたんだけど、意外に男性が多くて驚いたよ。
女：いい気分転換になりそうだね。それに、仕事以外の人と知り合えて、おもしろいんじゃない？
男：うん。あと、仕事の要領がちょっとよくなったんじゃないかなって思う。それで調べてみたら、料理って脳を活性化させてくれるんだって。
女：すごい。いろいろいいことがあるんだね。私も始めようかな。

習い事を始めたことによる意外な効果は何だと言っていますか。

言葉と表現

□ ～続き：～が続くこと。多くは、あまり好ましくないことに使う。
□ 活性化（する）：（組織などが）動きの多い状態になること。

4番　正答1　15 CD2

テレビで男の人が地域活性化のための取り組みについて話しています。男の人は、どの取り組みが最も成功していると言っていますか。

男：私たちの市では地域活性化のために、さまざまな取り組みをしております。昨年の調査でアイスクリームの消費量が日本一と発表されたことをうけ、県の特産品であるトマトを使ったアイスクリームを売り出しました。1日に300個売れるお店もあるなど、おかげさまで大変な人気を博しており、市のアピールに大きく貢献しています。そして、市のPRのためにキャラクターを作りました。名前は現在募集中ですので、皆様からのご応募をお待ちしております。ところで、最近テレビでは都道府県をアピールするCMをよく目にするようになりました。経済的な効果も生まれているようです。しかし、市町村の単位では予算の関係でテレビCMを作るのは難しいです。そこで、インターネットを使ってPRをしてはどうかと考えました。インパクトのあるものを作れば、テレビやラジオ、あるいは新聞、雑誌などで取り上げてもらえる可能性もあると、現在、プロジェクトを立ち上げているところです。

男の人は、どの取り組みが最も成功していると言っていますか。

2 → まだ成功したとは言っていない。
4 → 今作っているところでまだ完成していない。

言葉と表現

□ 特産品：特にその地方で生産されるもの。
□ 人気を博す：広く人気を得ること。
□ アピール：appeal／呼吁／어필
□ インパクト：impact／冲击／임팩트

5番　正答1　16 CD2

テニス部の女の学生と男の学生が話しています。男の学生は監督がどうして怒ったと言っていますか。

女：ねえ、今日の監督、いつにもましてピリピリしてない？
男：そうなんだ。どうも僕たち2年生が原因らしくて。

女：え、そうなの？
男：先輩がきちんと後輩を見ていないからこうなるんだって、さっき叱られたんだ。
女：1年生、何かしちゃったの？
男：昨日の練習の後、ボールを外に出しっぱなしにして帰っちゃったみたいなんだ。
女：え、でもそれって1年生が悪いんじゃないの？
男：僕もそう言ったんだけど、指導が徹底してないって、怒りは僕たちに向けられてるんだ。
女：そんなぁ。でも、ちょっと1年生、甘えたとこあるよね。練習態度も真剣味が足りないっていうか。
男：まあ、そこは監督も注意してたけどね。とにかく、僕たちがいい手本を示すしかないみたいだね。

男の学生は監督がどうして怒ったと言っていますか。

言葉と表現

□ いつにもまして：いつも以上に。
□ ピリピリする：ここでは「怒っていらいらする」。
□ とこ：ところ。
□ 〜味：〜であること。「〜さ」と同じ意味。

6番　正答2　17 CD2

女の人と男の人が、ある会社の倒産について話しています。会社が倒産した原因は何だと言っていますか。

女：ABC電気工業が倒産したニュース、ご存知でした？
男：え、そうなんですか!? 業績がよくないというのは聞いていましたけど。
女：ええ。でも、最近は何とか経営を立て直して、売上も伸びてきたところだったらしいんです。
男：じゃあ、どうしてなんですか。
女：それがどうやら、得意先の大手の会社が突然取引の中止を伝えてきたそうで。
男：それで立ち行かなくなったんですね。
女：そうみたいです。

男：どうして得意先は取引をやめてしまったんでしょうか。
女：どうもその会社で億単位の負債が明らかになったようなんです。
男：そうだったんですか。
女：ええ。そちらの倒産も時間の問題のようです。
男：会社は信用が第一ですからね。

会社が倒産した原因は何だと言っていますか。

言葉と表現

□ 業績：事業や研究など仕事の成果。
□ 立て直す：悪くなったものを、再び以前の状態に戻す。
□ 得意先：よく商品を買ってくれたり注文してくれたりする客。
□ 立ち行かない：前に進めない。ここでは「経営が成り立たない」。
□ 〜単位の：〜というレベルの。
□ 負債：借金。

7番　正答3　18 CD2

ラジオで、男の人が個人情報の問題について話しています。男の人は、一番の問題は何だと言っていますか。

男：私たちは常に、個人情報が漏れることに対して敏感にならなければなりません。個人情報保護法という法律があるものの、データの流出問題は後を絶ちません。インターネットの普及により、誰でも簡単にいろいろな情報を手にすることができるようになりました。携帯電話やパソコンを使って自分から情報発信をするサービスが増えたことで、さらに多くの問題が生じています。インターネットやこのようなサービスの普及は時代の流れというもので、逆らうべきものでもありませんが、それを使うにあたっては十分に気をつけなければなりません。インターネットの危険性を全く考えず、安易に個人情報を流してはいけないのです。そのサービスが安全対策をちゃんとしているか、よく確認してから利用するようにしましょう。

男の人は、一番の問題は何だと言っていますか。

1 → 個人情報保護法という法律があると言っている。
2 → このようなサービスの普及は時代の流れで、逆らうべきものではないと言っている。
4 → インターネットのサービスが危険なのが問題とは言っておらず、それを利用する時の危険性を考えないのがよくないと言っている。

言葉と表現

- 敏感(な)：sensitive ／敏感／민감
- ～ものの…：～が、しかし…。
- 流出(する)：内部のものが、外部に出て行ってしまうこと。
- 後を絶たない：(ある問題などが)起こり続け、なくならない。
- 発信(する)：情報などを外へ向けて出す。
- 逆らう：相手の言うとおりにせず、抵抗する。

問題3

例　正答3

テレビでレポーターが話しています。

男：Uターン就職とは、地方出身の人が、都心で一度働いた後に、再び自分の故郷に戻って働くことをいいます。例えば、北海道出身の人が一度東京に出て働き、その後再び北海道に戻って仕事をする、というようなケースです。Uターン就職をした人の声を聞くと、自分のふるさとの自然やライフスタイルに魅力を感じて決断した人が多いようです。都会では時間に余裕のないライフスタイルになりがちですし、物価も高く、住宅を購入することも困難です。そこで、自分のライフスタイルを見直したいという人を中心に、Uターン就職が注目されているのです。

レポーターは主に何について話していますか。

1 都会のライフスタイル
2 都会と地方の物価の差
3 Uターン就職の魅力
4 ふるさとにUターン就職する人の数

言葉と表現 → p.32 参照

1番　正答3

新入社員の研修で、講師が話しています。

女：会社で働く上で欠かせない、最も基本的なビジネスマナーの一つに、電話対応があります。社会人として、必ず身につけなければならないことです。まず、電話の応対ははきはきと、挨拶もしっかりしましょう。また、慣れないうちにありがちなことで、保留をしたつもりが間違えて電話を切ってしまい、取引先の方に大変失礼になることもありますから、基本操作は早めにきちんと確認しておきましょう。そのほか、電話応対をしながら、メモを取ることも大切です。そして、最後に、相手が言ったことをもう一度確認することで、ミスを減らすことができます。では、今から実践に移りましょう。

講師はどのようなテーマで話をしていますか。

1 社会人としての心構えについて
2 電話機の操作方法について
3 電話対応のポイントについて
4 仕事のミスを減らす方法について

言葉と表現

□ 〜がち：つい〜してしまう。よくないことに使われる。
□ 保留(する)：しばらくそのままの状態にすること。

2番　正答2　23 CD2

講演会で博物館の館長が話しています。

男：近年、子供たちが理科に興味を持たなくなってしまう、いわゆる「理科離れ」が盛んに言われるようになっています。しかし私は、理科を楽しく学ぶことは、子供たちの物事への好奇心や探究心を育むとても大切なことだと考えます。私たち博物館にとって、子供たちに理科の面白さを伝えることは、大きな使命の一つなのです。当博物館には星について学べるプラネタリウムがありますが、ここ何年か小学生の来場者は減る一方となりました。そこで、われわれは「移動式プラネタリウム」を始めました。各学校を訪問し、体育館に小さなプラネタリウムを設置するのです。プラネタリウムを見た子供たちからは、「わ〜、きれい」「宇宙って面白い」という声が上がるなど、大変喜ばれています。私たちは今後もこうした取り組みを続け、一人でも多くの子供たちに理科を学ぶ楽しさを知ってもらえたらと思っています。

博物館の館長は何をテーマに話していますか。

1 子供たちの「理科離れ」の原因
2 理科のおもしろさを伝える取り組み
3 プラネタリウムの来場者数
4 移動式プラネタリウムの作り方

言葉と表現

□ 好奇心：珍しいことや知らないことへの興味や関心。
□ 探究心：物事について深い知識を得たり、原因を明らかにしたいという気持ち。

3番　正答3　24 CD2

会議で男の人が話しています。

男：今日は、ある提案をしたいと思います。会議の度に資料を印刷しコピーするというのは必要でしょうか。それらの資料はその場限りで処分されることも多いです。紙の資料をなくすことは、単に環境の面からだけでなく、効率化にも役立つのではないかと思います。紙に代わるものとして最近ではタブレット端末を会議で使用する企業も増えています。こうしたものを活用すれば、資料自体も豊富に、またよりわかりやすく用意することができます。会社全体で予算を削減する動きがあることは承知しておりますが、電子化することはインクや紙、さらには印刷してコピーをする時間も節約でき、コストを削減することにもつながります。無駄を省き、よりよい議論の場を作り出すために、ぜひご検討をお願いいたします。

この話のテーマは何ですか。

1 資料のコピーの仕方
2 資料の見方
3 資料の電子化
4 予算を増やす方法

言葉と表現

□ その場限り：その時だけで後には関係しないこと。
□ タブレット端末：パソコンの機能を持った携帯型の通信機器(tablet-type device)。

4番　正答2　25 CD2

大学の授業で先生が話しています。

男：今日は、マーケティングについてお話しします。マーケティングというと、何を思い浮かべるでしょうか。市場調査を行うこと、広告を

作って宣伝することなどが頭に浮かぶと思います。それらももちろんマーケティングの大事な要素ですが、マーケティングとは、単にリサーチやプロモーションをして何かを売ればいいということではありません。何かを売ることでこちらに利益が生まれると同時に、顧客もまた何らかの利益を得なければいけません。そうすることで、また買ってもらえることにつながるのです。そこで、顧客満足度というものが大事になってきます。例えば、ある商品を高く売って儲けたとします。お客さんが後から高い買い物だったと思ったら、もう二度とそのお店で買うことはないでしょう。そうなると、そのマーケティングは失敗だったと言えます。つまり、売る側だけでなく、買う側も満足することを目指すのが重要なのです。

先生は主に何について話していますか。

1 市場調査の効果
2 顧客満足度という考え方
3 商品を宣伝する方法
4 商品を高く売る方法

言葉と表現

- マーケティング：marketing／销售战略／마케팅
- プロモーション：promotion／推销、推进／프로모션
- 顧客：よく利用してくれる客。

5番　正答3

研究会で男の人が発表しています。

男：レジャーとは、一般的に余暇活動、つまり自由な時間に行う活動を表す言葉として使われています。以前は、多くの人が、夏は海、冬はスキーなど、娯楽としてレジャーを楽しんでいました。しかし現在は、人々のレジャーに対する意識もずいぶん変わってきています。経済状況やライフスタイルの変化とともに、人々のニーズが多様化し、レジャーの種類も多岐にわたっています。単なる娯楽としてのレジャーではなく、学習や体験ができるものが求められるようになり、社会や人の役に立つような活動が増えています。また、昨今の健康志向、節約志向を反映し、ジョギングなど、あまりお金をかけずに健康のためによい活動をする人も増加しています。さらに、携帯電話やパソコンなどのデジタル機器が普及し、遠くへ足を運ばずにさまざまな活動を楽しむことができるようになりました。レジャーの種類は今後もますます増え、多様化の傾向が続くでしょう。

男の人は主に何について話していますか。

1 余暇活動の目的
2 余暇活動と経済の関係
3 余暇活動の多様化
4 余暇活動と科学技術の関係

言葉と表現

- ライフスタイル：生活のスタイル。
- ニーズ：商品やサービスなどへの期待や要望。
- 多岐にわたる：物事がいろいろな種類や方面に及ぶ。
- 昨今：最近、このごろ。
- 機器：器具や機械。

6番　正答3

テレビで、レポーターが話しています。

女：地球温暖化が進み、エネルギー資源の不足が危ぶまれる今日、私たちの電気利用に対する意識や考え方も大きく変化しています。節電に関する最近の調査によると、消費電力の低い家電に買い替えたり、家電の使い方を工夫したりしている人が増えているそうです。家庭でのエアコンの使用を控えるために、日中は図書館などの公共施設で過ごすようにしているという方もいるようです。また、日中暗い部屋に太陽の光を効果的に取り入れる器具を設置した、という家庭もありました。設置には費用が

かかりますが、長い目で見ると電力の使用量を減らすことができ、節電につながるということです。

レポーターは主に何について話していますか。

1 新しい家電に買い替える理由
2 公共施設を利用する理由
3 電力の使用を抑える方法
4 太陽光を利用する方法

1、2、4 →「新しい家電に買い替える」「公共施設を利用する」「太陽光を利用する」はすべて、電力の使用を抑える方法の具体例。

▶ 言葉と表現

□ 危ぶむ：心配する。
□ 節電：電力の使用量を節約すること。
□ 設置（する）：事業やサービスを行うために何かを設けたり、取り付けたりすること。

問題4

例　正答3　29 CD2

男：すみません、今お時間よろしいでしょうか。
女：1　ええ、よろしいです。
　　2　いいえ、結構です。
　　3　ええ、何でしょうか。

1番　正答1　30 CD2

男：またメールのお返事が遅れてしまって、すみませんでした。
女：1　これで何回目だと思ってるの？
　　2　いや、それほどでもないよ。
　　3　このようなことは二度とないようにします。

メールの返事が遅れることを注意する場面。

2番　正答2　31 CD2

男：昨日のサッカーの試合見た？　やっぱりヨーロッパのチームには歯が立たないね。
女：1　うん、勝てて本当によかったよ。
　　2　うん、もっと力をつけてほしいよね。
　　3　うん、ほんとに惜しかったね。

▶ 言葉と表現

□ 歯が立たない：相手が強すぎて対抗できないこと。

3番　正答1　32 CD2

女：ご卒業おめでとうございます。卒業されても、ときどきサークルに顔を出してくださいね。
男：1　もちろん、また様子を見に来るよ。
　　2　名前は出さないでくれよ。
　　3　うん、楽しみに待ってるよ。

▶ 言葉と表現

□ 顔を出す：集まりなどに訪れる、参加する。

模擬試験 第2回　解答・解説

4番　正答3　[33]

女：あ〜あ、昨日の面接、予想外の質問が来て、完全に言葉に詰まっちゃったよ。もう、がっくり。

男：1　大変だったね。何が詰まったの？
　　2　君のせいじゃないんだから、気にしないで。
　　3　まだ落ちると決まったわけじゃないだろ。

1 →「言葉に詰まる」は慣用的な表現で、「何が詰まる」とは普通言わない。
3 → まだ可能性がある、と励ます一言。

言葉と表現
□ 言葉に詰まる：質問に困ったり感情が高まったりして、言葉が出なくなる。

5番　正答1　[34]

女：部長、ライオン食品からの資料が、まだ届いていないんですが……。

男：1　すぐに問い合わせてみてくれ。
　　2　届いているわけはないんだけどな…。
　　3　どうして君はいつも遅れるんだい？

6番　正答3　[35]

男：先方との打ち合わせが終わったら、今日はもう、そのまま帰っていいよ。

女：1　では、行き方をお調べします。
　　2　ちょっと間に合わないと思います。
　　3　では、明日またよろしくお願いします。

会社の外での仕事が終わったら、会社に戻らないでいいと言っている。

7番　正答3　[36]

女：すみません、後ろを通ってもいいですか。

男：1　うーん、それはちょっと…。
　　2　ええ、前でも結構ですよ。
　　3　あ、これは失礼しました。

3 → 気づかなかったことを謝る表現。

8番　正答1　[37]

女：申し訳ございません。こちらのお品物は機内持ち込み禁止となっております。

男：1　うっかりしていました。
　　2　恐れ入ります。
　　3　どういたしまして。

2 → 目上の人に感謝や申し訳ないという気持ちを伝える表現。

言葉と表現
□ 機内：飛行機の中。
□ うっかりする：不注意で忘れる。

9番　正答3　[38]

男：この資料、すごく見やすくなったね。大変だったんじゃない？

女：1　ご苦労さまでした。
　　2　どうすればよかったでしょうか。
　　3　先輩のアドバイスのおかげです。

10番　正答1　[39]

女：説明会に申し込みたいのですが。受付はこちらでしょうか。

男：1　事前のお申し込みは不要ですよ。
　　2　ファックスはあちらにあります。
　　3　おかげさまで大盛況でした。

言葉と表現
□ 大盛況：とてもたくさんの人が集まり、にぎやかな様子。

11番　正答3　[40]

女：熱あるんなら帰ってゆっくり休んだら？先生には言っとくから。

男：1　いや。急いでくれないかな。
　　2　先生は言ってないと思うよ。
　　3　授業出たいけど、その方がよさそうだね。

1 →「いや」の後は「言わなくていい」「授業は休

まない」などを続けるのが自然。

12番　正答1　【41 CD2】

男：あの、ツアーを予約した者なんですが、キャンセルをしたいと思いまして…。

女：1　かしこまりました。では、お名前をお願いします。
　　2　申し訳ございませんが、こちらのツアーは定員に達しました。
　　3　承りました。いつがご希望でしょうか。

13番　正答2　【42 CD2】

女：もっと早く言ってくれれば、手伝ってあげたものを…。

男：1　手伝ってくれてありがとう。
　　2　ほんと、そうすればよかった。
　　3　ずいぶん早かったんだね。

言葉と表現

□ 〜ものを：〜のに。残念な気持ちを表す。

問題5

1番　正答3　【44 CD2】

電気店で女の人と店員が話しています。

男：いらっしゃいませ。
女：あの……、パソコンを探しているんですが。
男：どのようなタイプをお探しでしょうか。
女：今、家に1台デスクトップ型のがあるんですが、仕事で移動するときにも使えるように、ノート型のを探してるんです。
男：それでしたら、こちらはいかがでしょうか。最新のモデルで、多少お値段は張りますが、機能が大変充実しています。それか…こちらのミニノート型パソコンもお勧めです。機能面では先ほどのものより若干劣りますが、とにかく軽くて、持ち運びに便利です。単純なデータ入力やインターネットのみの使用であれば、こちらで十分です。
女：そうなんですか。そんなに機能は重視していないし、仕事ではメールくらいしか使わないから軽いほうがいいですね。
男：そうですか。あ、もしデータ入力がそれほど必要ないということであれば、こちらのタブレット端末はいかがでしょうか。画面にタッチして操作するタイプで、キーボードはありません。起動に時間がかからないので使いやすいですよ。
女：ああ、それもいいですね。う〜ん。でも、ときどき出張先でデータ処理をすることもあるから、やっぱりこっちにします。
男：ありがとうございます。

女の人は何を買いましたか。

1　デスクトップ型パソコン
2　ノート型パソコン
3　ミニノート型パソコン
4　タブレット端末

言葉と表現

□ 値段が張る：値段が高い。
□ 起動（する）：パソコンが動き出すこと。

模擬試験 第2回 解答・解説

2番　正答1

家族3人が話しています。

女1：ねえねえ、今年の夏休みに短期の留学プログラムに参加したいと思ってるんだけど。
女2：いいんじゃない。来年は受験勉強で忙しいだろうし。何かあてはあるの？
女1：これ、学校で資料をもらってきたの。
男：へー、いろんなプログラムがあるんだな。試験対策、インターンシップ、ボランティア…。こっちはスポーツ体験か。ダンスにダイビング…ゴルフもあるのか。
女1：そうなの。どれがいいか迷っちゃって。でも、スポーツは苦手だから、スポーツ体験はないかな。
女2：インターンシップは「英語で基本的なコミュニケーションができること」って書いてあるけど、大丈夫なの？
女1：うーん、まだちょっと自信がないかなあ。
女2：じゃ、試験対策は？ この先、本格的な留学をするんだったら、試験にうからないといけないでしょ。
女1：うん。そうなんだけど、もうちょっと先でもいいような気がする。これがいいかな。現地の人とたくさん接することができそうだし。
男：いいんじゃないか。むこうでは若いうちから社会貢献の意識が強いらしいからな。きっといい勉強になるだろう。
女1：よしっ、じゃあ、これに決まり。何だかやる気が出てきた。

娘はどのプログラムを選びましたか。

1　ボランティア体験
2　インターンシップ
3　試験対策
4　スポーツ体験

3番　質問1：正答4　質問2：正答1

学生3人が海外旅行の計画について話しています。

女1：今度みんなで行く旅行なんだけど、この「オーストラリア2都市周遊7日間」はどう？
男：シドニーの観光がメインで、もう一つ行きたい都市をこの中から選ぶんだね。
女2：ホテルと飛行機だけ手配がされていて、あとは自由行動ってことは、行く前にいろいろ調べておかないといけないね。
女1：うん。「ガイド付きオーストラリア7日間」っていうのもあって、これなら有名な所を時間の無駄なく回れるみたいだけど。
男：でもガイド付きって、高いよね。僕はシドニーに絞ってもいいと思うんだけど、シドニーだけのツアーはどう？
女1：「シドニーフリープラン5日間」っていうのがあるけど。
男：よさそうだね。あ、でも、こっちの「格安シドニー5日間」のほうがだいぶ安いよ。
女2：ここに航空会社指定って書いてあるけど、確かこれ、格安航空会社じゃない？ 安い分、必要最低限のサービスしかないんでしょ？
男：でも、この安さは魅力だなあ、やっぱり。
女1：うーん。私はやっぱり、シドニーだけじゃ物足りないな。ガイドを付けなければそこまで高くないし。
女2：うん。私もそう思う。自分たちでいろいろ調べるのはいいけど、あまり安すぎるのはちょっと…。何かトラブルがあるといやだし。
男：じゃあ、ほかの3人に聞いてみて、また相談しようか。
女1：そうだね。

質問1
男の学生はどのツアーがいいと言っていますか。

質問2
女の学生たちはどのツアーがいいと言っていますか。

言葉と表現

☐ 周遊：各地を旅行して回ること。
☐ シドニー：オーストラリアの都市。
☐ 格安：値段が普通より特に安いこと。
☐ 必要最低限：これだけは必要だということ。
☐ 物足りない：何となく不満だ。

模擬試験 第3回 解答・解説

正答一覧

言語知識（文字・語彙・文法）

問題1		問題5	
1	2	26	4
2	4	27	1
3	1	28	3
4	3	29	3
5	2	30	2
6	3	31	1
問題2		32	4
7	2	33	1
8	4	34	3
9	3	35	3
10	3	問題6	
11	1	36	2
12	1	37	1
13	3	38	2
問題3		39	4
14	4	40	3
15	2	問題7	
16	1	41	2
17	1	42	1
18	2	43	4
19	3	44	4
問題4		45	4
20	1		
21	4		
22	1		
23	3		
24	4		
25	2		

読解

問題8		問題13	
46	3	70	2
47	1	71	1
48	3		
49	3		
問題9			
50	3		
51	1		
52	1		
53	3		
54	2		
55	4		
56	4		
57	4		
58	1		
問題10			
59	3		
60	1		
61	4		
62	2		
問題11			
63	3		
64	2		
65	1		
問題12			
66	3		
67	1		
68	4		
69	4		

聴解

問題1		問題4	
例	2	例	3
1	1	1	3
2	1	2	1
3	3	3	2
4	1	4	3
5	2	5	1
6	4	6	1
問題2		7	3
例	3	8	3
1	4	9	3
2	4	10	3
3	3	11	3
4	3	12	1
5	3	13	2
6	2	問題5	
7	4	1	2
問題3		2	3
例	3	3(1)	1
1	2	(2)	3
2	1		
3	2		
4	2		
5	2		
6	4		

言語知識

問題1

1 正答 2

- 修業：学業、技術などを習うこと。
- ▶ 修＝シュ、シュウ／おさーめる
  - 例 修行(する)、修理(する)、学問を修める。
- ▶ 業＝ギョウ 例 営業(する)。

2 正答 4

- 潔く：思い切りよく。
- ▶ 潔＝ケツ／いさぎよーい
  - 例 清潔な部屋、潔い性格。

他の選択肢 1 快く 2 著しく 3 甚だしく

3 正答 1

- 分析(する)：analyze／分析／분석
- ▶ 析＝セキ 例 解析(する)。

4 正答 3

- 拒む：相手の要求などを強く断る。
- ▶ 拒＝キョ／こばーむ 例 拒否(する)。

他の選択肢 1 拝んで 2 阻んで 4 妬んで

5 正答 2

- 精密(な)：非常に細かい。
- ▶ 精＝セイ、ショウ 例 精神、精進(する)。

他の選択肢 1 親密 3 機密 4 緻密

6 正答 3

- 合(い)間：連続する作業や動作の間の短い時間。
- ▶ 合＝ゴウ、ガッ／あーう、あーわせる
  - 例 合理的、合併(する)、目が合う。
- ▶ 間＝カン、ケン／あいだ、ま
  - 例 夜間、世間、木と木の間、あっという間。

問題2

7 正答 2

- 交渉(する)：negotiate／交渉／교섭
  - 例 値段を交渉する。

他の選択肢
1 交流(する)：異なる地域や組織が互いに訪問したり集まったりして、いい関係づくりをすること。 例 外国の人との交流、国際交流。
3 交付(する)：国や役所が手続きにしたがって書類やお金などを渡すこと。 例 免許証は警察で交付される。
4 交代(する)：人が入れ替わる、人を入れ替えること。
  例 そろそろ選手を交代したほうがいい。

8 正答 4

- デリケート(な)：感じやすい、壊れやすい、繊細な。英 delicate から。
  - 例 デリケートな肌、デリケートな問題。

他の選択肢
1 ソフト(な)：印象や感じが柔らかい。英 soft から。 例 ソフトな話し方。
2 ロマンチック(な)：夢の中にいるような雰囲気の、空想的。英 romantic から。
  例 ロマンチックな物語。

3 **ルーズ（な）**：いいかげんな。英 loose から。
　　例 彼は時間にルーズで、よく遅刻する。

9 正答 3

□ **倹約（する）**：お金のむだを省く。
　　例 倹約家。
　　※「節約」はお金以外のことにも使われるが、「倹約」はお金に関してのみ使う。

他の選択肢

1 **統制（する）**：control ／控制／통제
　　例 情報を統制する。
2 **節制（する）**：適当な範囲を越えないように控える。
　　例 酒を節制する。
　　（※ 主に飲食などについて使う。）
4 **要約（する）**：文章や話を短くまとめる。
　　例 論文の内容を要約した。

10 正答 3

□ **維持（する）**：maintenance ／保養／유지
　　例 健康を維持する。

他の選択肢

1 **保管（する）**：なくさないように持っておき、管理すること。
　　例 資料を保管する。
2 **整理（する）**：arrangement ／安排／정리
　　例 書類を整理する。
4 **抑制（する）**：control ／抑制／억제
　　例 食欲を抑制する。

11 正答 1

□ **経緯**：事件や事故などがどのように起こり、どうなったか、ということ。
　　例 事故の経緯を説明した。

他の選択肢

2 **経験（する）**：experience ／経験／경험
　　例 経験を生かす、経験が浅い。

3 **経歴**：今までにどのような勉強や仕事をしたか、ということ。
　　例 華やかな経歴を持つ。
4 **経路**：目的のために通る道筋、道順。
　　例 通勤経路、チケットの入手経路（＝手に入れる方法）。

12 正答 1

□ **〜性**：〜の性質や傾向を持つ。
　　例 植物性の油、文化の多様性。

他の選択肢

2 **〜的（な）**：〜の性質を持つ、〜に関係する。
　　例 肯定的な意見、国際的な問題。
3 **〜面**：〜に関する部分。
　　例 精神面のケア、資金面で援助する。
4 **〜感**：〜を感じること、〜の感じ方。
　　例 達成感がある、親近感を抱く。

13 正答 3

□ **対応（する）**：周りの状況や要求に合わせて、物事を行う。
　　例 消費者のニーズに対応する、柔軟な対応。

他の選択肢

1 **接待（する）**：食事を交えたりしながら、客をもてなすこと（entertain a client）。
　　例 高級レストランで接待を受けた。
2 **待遇（する）**：客に対する扱い。職場での給料などの条件。
　　例 このホテルは待遇がよかった。待遇の改善を求める。
4 **反応（する）**：刺激に対して動きや変化があること。
　　例 光に反応して動く、客の反応をみる。

模擬試験 第3回 解答・解説

問題3

14 正答4

- ややこしい：複雑な。
  例 この問題はややこしくて説明しにくい。

他の選択肢
3 あいまい（な）：態度や物事がはっきりしない。
例 あいまいな言い方。

15 正答2

- 案じる：心配する。
  例 母は遠くに住んでいる弟のことをいつも案じていた。

16 正答1

- 世論：世間一般の人々の考え。例 世論調査。

17 正答1

- 肩を持つ：〔慣〕味方をする。
  例 私たちがけんかすると、母はいつも妹の肩を持った。

他の選択肢
4 ばかにする：人を見下げ、軽く扱う。
例 彼の発言は女性をばかにしたものだ。

18 正答2

- 手順：どんな順番でやるか、ということ。
  例 作業手順、手順を踏む（＝手順にしたがって物事を進める）。

19 正答3

- そもそも：最初から。もともと。
  例 両者はそもそも考え方が違う。

問題4

20 正答1

- 配送する：物を送り届けること。
  例 商品を配送する。

他の選択肢 2 メールを送った、3 気持ちを伝えたい、4 子供を幼稚園に送って、などが適当。

21 正答4

- 不備：必要なものが完全にそろっていないこと。例 システムに不備が見つかる。

他の選択肢 1 体の不調、2 睡眠時間の不足、3 不安の声、などが適当。

22 正答1

- 推進（する）：計画などを推し進める。
  例 宇宙開発事業を推進する。

他の選択肢 2 ドアを押して、3 山田課長を推薦した、4 好みを推測して、などが適当。

23 正答3

- でたらめ（な）：正しくない。
  例 でたらめなことを言う、でたらめに歌う。

他の選択肢 1 めちゃくちゃなので、2 ばらばらに、4 ごちゃごちゃしている、などが適当。

24 正答4

- きっぱり（と）：態度がはっきりしている。
  例 きっぱり（と）言う、きっぱり（と）あきらめる。

他の選択肢 1 正直な人間、2 はっきり（と）違う、3 頭がさっぱり（と）した、などが適当。

25 正答 2

- 説得(する)：よく話して、相手を納得させる。
  - 例 相手をうまく説得する、説得力がある。

他の選択肢 1 警察に説明した、3 生徒を説教した、4 みんなに説明した、などが適当。

問題 5

26 正答 4

- ～とは…だ：「～」に対して「驚きだ・意外だ」という気持ちを表す。
- ～にして：～なのに。まだその段階なのに。
  - 例 あの子は5歳にして、ピアノが弾けるそうだ。

- ～として：仮定の用法で「～なら」「～と仮定したが」の意味がある。
  - 例 夏休みに旅行に行くとして、どこに行く？
- ～にあたって：～という時を迎えて。
  - 例 イベントの開催にあたって、市民から多くの意見が寄せられた。

27 正答 1

- ～もかまわず：～も気にしないで。

- ～をものともせず：～を何とも思わないで、少しも恐れないで。「～」には困難や障害なことが来る。
  - 例 激しい雨をものともせず、彼は作業を続けた。
- ～をよそに：～には関心を払わないで。～とは無関係に。
  - 例 家族の心配をよそに、彼はずっと遊んでいたようだ。

4→「いるにもかかわらず」ならOK

28 正答 3

- ご～いただけますでしょうか：「～してもらえますか」の謙譲表現。「いただけ」は謙譲語「いただく」の可能形。
- 差し支える：何かをすることで都合の悪いことが起こる。「差し支え」はその名詞。「差し支えない」「差し支えなければ」の形で用いることが多い。
  - 例 私の名前を出しても、差し支えありません。

2→「～されますか」は単に相手の意志を尋ねる表現（例 ご予約されますか。）。依頼を表す「差し支えなければ～」と合わない。

29 正答 3

- ～ときたら：話題を示す表現で、誰かの発言や行動などに対するあきれた気持ちを表す。
  - 例 最近の若い女性ときたら、どこでも平気で化粧をするんだね。

- ～とすれば：この場合、「うちの犬（の立場）としては」のような意味になる。
- ～ともなれば：～になれば、やはり。
  - 例 お祭りともなれば、この辺りも賑やかになる。
- ～とは：「AとはBだ。」BはAの説明や解釈。

30 正答 2

- ～どころか：「AどころかB」の形で、Aよりさらに程度の高いBを挙げて強調する。
  - 例 食事どころか、水も飲んでいない。

- ～どころではなく：そんなレベルではないと～を完全に否定する表現。

31 正答 1

- ～(の)かたわら：「A(の)かたわらB」の形で、「主要なAをしながら、Bも」。

模擬試験 第3回 解答・解説

- □ ～にともなって：～という変化に応じて。
  - 例 経済の発展に伴って、いろいろな問題が出てきた。
- □ ～はんめん：「～」と反対に。
  - 例 インターネットは便利な反面、トラブルも多い。
- □ ～もかねて：～も一緒に。
  - 例 英語の勉強も兼ねて、アメリカのテレビドラマを見ています。

32 正答4

- □ ～からには：～のだから。後には意志や期待を表す内容が来る。
- □ 中途半端な：不完全な、いいかげんな、全力を注がない。
- □ ～からして：～から判断しただけでも（一つの例だけで十分そう思える）。
  - 例 この店は名前からしてまずそうだ。

33 正答1

- □ ～ものか：～ことなど考えられない、あり得ない。
- □ 連中：「人たち」を軽視した言い方。
  - 例 最近の若い連中は勝手なことばかり言う。
- □ ～ものだ：当然～べきだ、そういうものだ。
  - 例 スポーツは体で覚えるものだ。
- □ ～ものを：（実際とは違うことを仮定して）～のに、そうでなくて残念だ。
  - 例 言ってくれれば、手伝ってあげたものを。

34 正答3

- □ ～っていうのは：「～というのは」の口語表現。
- □ わいわい：仲間などが集まってにぎやかに楽しんでいる様子。

35 正答3

- □ ～わけにはいかない：～ということなど考えられない。
  - 例 プロとして、学生に負けるわけにはいかない。

問題6

36 正答2

ホームを歩きながら携帯電話などを操作する₄こと₃は₂電車と₁の 接触事故につながりかねない。

⇒［〈ホームを歩きながら〉携帯電話などを操作すること］は［電車との接触事故］につながりかねない。

「電車と接触する」を名詞にするのがポイント→「電車との接触」。

- □ ～かねない：～可能性がある。
- □ ～につながる：～を引き起こす、～の原因になる。

37 正答1

今回の実験が上手く₂いかなかった₄から₁といって₃研究自体 をあきらめることはない。

⇒〈今回の実験が上手くいかなかった〉からといって、研究自体をあきらめることはない。

- □ ～ことはない：～する必要はない。

38 正答2

転職先としては、これまでの経験を₃生かしつつ₁キャリアアップを₂図れる₄会社を 希望している。

⇒ 転職先としては、〈これまでの経験を生かしつつ〉［キャリアアップを 図れる 会社］を希望している。

- □ ～つつ：～ながら。

「経験を生かす」「キャリアアップを図る」という表現はまとめて覚えておくといい。

解答・解説

39 正答 4

何とか ₃就職する ₂ことは ₄できた ₁ものの、将来に対して不安がないわけではない。

⇒〈何とか就職することはできたものの〉、将来に対して不安がないわけではない。

- □ **〜ものの**：〜ではあるが。ある事柄を肯定しながら、十分ではないことを表す。
- □ **〜ないわけではない**：「〜ない」とは決まってない。少しは〜する可能性がある。

40 正答 3

うちは ₂共働きで ₁留守がち ₃ですが ₄ペットを飼うことはできるでしょうか。

⇒〈うちは[共働きで留守がち]ですが〉、[ペットを飼うこと]はできるでしょうか。

- □ **〜がちだ**：〜することが多い。

「共働き」と「留守がち」は共に家庭の状況を表す言葉で、「で」でつなぐ。

問題 7

41 正答 2

次のようにポイントを押さえる。「仕事に行き詰まったとき」→「沈んだ気持ち」または「落ち込んだ気持ち」。「気持ちを前向きに切り換える」→「(沈んだ気持ちから)解放される」。

42 正答 1

前の文を受けて、「ある人」の考えを紹介する内容になっている。

- □ **〜というのだ**：〜そうだ、〜という考え/意見だ。
  - 例 彼らによると、それが楽しい<u>というのだ</u>。

43 正答 4

最初にあまり考えずに行動して(お金を使って)、物を無駄にすることの具体例。

- □ **ありがち(な)**：よくある。

44 正答 4

前の文の「はなから完璧を求めない」という考えの例として、「最初から長い距離にチャレンジすることはない」と述べている。

- □ **〜ことはない**：〜する必要はない。
- □ **〜だけのことだ**：(考えたり議論したりする必要などなく、)結論や意志がはっきりしていることを表す。

45 正答 4

自分の実際の気持ちや状況にしたがうのがよいという見方を表す「無理に〜必要はない」が合う。

読 解

問題8（短文）

(1)「父親の役割」

[46] **正答3**

「父親」の役目を果たす人がいないこと。「舵取り（親の本来の役割）を放棄して子どもの機嫌を取る」と例えている。

他の選択肢
1→家庭にいる時間の長さは問題にしていない。
2→「家からいなくなる」とは言っていない。
4→「父親を無視する」とは言っていない。

言葉と表現
□一歩：ほんの少し。
□危うさ：危なさ。
□航海：船で海を渡ること。
□舵取り：舵（船の進む方向を定める道具）を操作して、船を一定の方向に進ませること。
□甘い顔をする：（子どもなどに）厳しさに欠ける、優しすぎる様子。
□思春期：adolescence／青春期／사춘기

(2)「ジョギング」

[47] **正答1**

本文では「脂肪がうまく燃焼しないこと」と「命にかかわること」の2点が挙げられている。

他の選択肢
2→運動後のことは述べていない。
3→急に倒れる理由は脂肪が燃焼しないからではない。
4→体温調節や心臓の機能のことは述べていない。

言葉と表現
□空前：今までに一度もないこと。
△血糖値：血液中の糖分の量を示す数字（the blood sugar level）。
□冷や汗：緊張した時や病気の時に出る汗。

(3)「働くことの意義」

[48] **正答3**

「否定」をした後に主張を述べるパターン。4～5行目、「まずは、生活を不足のないものにするための対価として」に注目。

他の選択肢
1→一般的な考え方だが、本文の趣旨ではない。
4→第一の意義ではない。

言葉と表現
△糧にありつく：生きるために必要な食べ物を手に入れる。

(4)「新しい価値体系」

[49] **正答3**

「考えを伝え合い、そのそれぞれを認めつつ、新しい価値体系を構築することが求められる」とあるから。

他の選択肢
4→「理解し合うのは難しい」という否定的な見方は本文のテーマと合わない。

言葉と表現
□価値観：どういうものにどれだけ価値があるか、というものの見方。
□多様化（する）：変化に富むようになること。
□Nまでも（が）～：普通ならありえないNまで。
　例 不景気で、中小企業のみならず、歴史のある大企業までもが倒産している。
□押し付ける：他人が嫌だと思うことを無理に

解答・解説

させたり要求したりする。
　例 責任を押し付ける
□ とはいえ：けれども、といっても。
□ 真に：本当に。
□ 〜まい：〜ないだろう。
□ 妥協（する）：compromise／妥協／타협
□ 見いだす：（結論や方法などを）見つける。
□ ひびが入る：人間関係などがいい状態ではなくなる。例 友情にひびが入る
□ 優先（する）：他のものより重要だと考えること。 例 何よりも仕事を優先する
□ 望ましい：そうなったらいいと思うような。

問題9（中文）

(1)「老いと健康」

50　正答 3

第1段落から「戦前は伝染病や慢性疾患が多く、それにかかっていないことが健康ととらえられた」という趣旨を読み取る。

51　正答 1

3〜4行目、「戦後、病気の様相も変り、…」の部分に注目。設問の「健康の定義」は「（人々の）健康のとらえ方」と理解する。

他の選択肢
2 → 「特効薬の開発」についての言及はない。
3 → 「WHOの健康の定義」と「人々の健康に対する意識の変化」の関係には触れていない。

52　正答 1

「精神的ならびに社会的存在であることをよく理解」と評価している。

言葉と表現
□ 伝染病：人や動物の間で、体から体へとうつり広がる病気。
□ 疾患：病気。
□ 部局：会社や役所などの部や課などをまとめた言い方。

(2)「『やらせ』について」

53　正答 3

もともと「フィクション＝つくり事、作り話」なので、「やらせ」にならない。

他の選択肢
1 → 「感情移入できない」とは書いていない。
2 → ドキュメンタリーの定義は書かれていない。
4 → 「だまされたくてだまされる」≠信じる。

54　正答 2

「番組のいいたかったのは、おそらくネパールの自然のきびしさだろう」とある。

他の選択肢
1 → 高山病は個別の事実であり、主張ではない。
3 → 番組の主張はここまで抽象的ではない。
4 → 番組の主張と大きく異なる。

55　正答 4

「もし後者に係るとすれば」＝「ドキュメンタリーの本質が『番組全体の主張ではうそをつかない』であるなら」。主張の内容が適当かどうかに注目するなら、「ネパールの自然が厳しい」ということはうそとは言えない。

他の選択肢
1、2、3 → いずれも「番組全体の主張の真偽」という前提に合っていない。

言葉と表現
□ 見せかけ：外見だけ。中身と異なる見た目。
□ いずれにしても：どちらの場合も。
□ あらかじめ：in advance／提前／사전에
□ 〜に係る：〜に関わる、〜に関係する。

模擬試験 第3回 解答・解説

(3)「農業コンクール」

56 正答4

第5段落1行目「『やさか』の取り組みは〜好例だ」とある。

他の選択肢

1、2→「農場の規模」「営業成績」は特に問題とされていない。
3→「関係機関」「専門家」「研究発表」が誤り。

57 正答4

2段落目より、商品のブランド化と通信販売が特徴であることがわかる。

他の選択肢

1、2→「天候と作物の関係」「町づくり」は特に問題とされていない。
3→新しい手法に「若者の参加」は関係がない。

58 正答1

第6段落目に「生産者が、加工・製造、販売まで一貫して手がける」ケースが目立った、とある。

言葉と表現

- 従事者：作業や仕事に携わる人。
- 山あい：山の中、山と山の間。
- 有機栽培：organic／有機栽培／유기농재배
- 販路：商品を売る場所、方面。
- 法人：corporation／法人／법인
- 研修生：研修を受ける学生、生徒。
- 推進(する)：propulsion, promotion／推進／추진
- 参入(する)：市場などに入ること。
- 促進(する)：to prompt／促進／촉진
- 〜を柱にする：「柱」は、組織や事業を支える重要なもの。
- 先取りする：他人より先に物事をする。
  例 時代を先取りしたファッション
- ままならない：十分でない、思い通りにいかない。

- 連携(する)：連絡をとり合って一緒に物事をすること。
- 手がける：(担当する者として)直接扱う、行う。

問題10（長文）

「友だち地獄」

59 正答3

「互いの関係も狭い範囲で固定化される傾向にある」がカギ。第1〜2段落に注目。

他の選択肢

1→「広く」が明らかに誤り。
2→「社会の中で」が「脱社会的に」に反する。
4→「自分らしさを持つ人」と付き合いたいとは言っていない。

60 正答1

同じ文中の「その結果」＝「『欲求の対象や価値観がおのずと多様化』した結果」。

他の選択肢

2、4→「内面に意識を向ける」「人間関係が狭く閉じている」は原因（価値観の多様化）の前段階。
3→タイプ間の違いについては書かれていない。

61 正答4

第4段落に「理解不可能性を前提とした人間関係を築いていく技術」とある。「理解不可能性」は「分かりあえないかもしれないこと」を指す。

他の選択肢

1→「互いの〜もはやできない」より、誤り。
2→自分らしさを「見せる」かどうかは言及なし。
3→思いやりを持つかどうかは書かれていない。

62　正答 2

第5段落に「葛藤の火種が多く含まれる人間関係」を営むため、「絶妙な距離感覚を作り出そうとしている」とある。

言葉と表現

- 損なう：悪い状態にする。だめにする。
- ～におちいる：陥る。よくない状態になる。
- 依存(する)：ほかのものに大きく頼る。
- 格段に：程度の差が激しいこと。
- 固有の：本来持っている、特有の。
- 合致(する)：ぴったり合うこと。
- 過剰：多すぎること。
- メンタリティ：心的状態。英 mentality から。
- おのずと：自ずと、自然に。
- 似かよう：似通う。互いによく似る。
- 緩やか(な)：きつくない、厳重でない。
- 内実：内部の実情。
- 素朴(な)：飾らず、自然な様子。
- (関係を)築く：作り上げる。
- 回避(する)：危険や面倒を避けること。
- 駆使(する)：思い通りにうまく使うこと。
- 確固とした：しっかりした。
- 自覚する：自分自身の立場や状態をよく知ること、わかっていること。
- ～とみなす：見て判断したり仮定したりする。
  例 遅刻3回で欠席1回とみなします。
- 巧みに：うまく、上手に。
- (もめ事を)収める：(トラブルを)静める。

問題11（統合理解）

「在宅リハビリ」

63　正答 3

3のみ両方で書かれている。

他の選択肢

1 → Aのみ定義に近い記述がある。
2 → Aでのみ書かれている。
4 → Bでのみ書かれている。

64　正答 2

A、Bともに身体的回復（＝機能回復）について述べている。Aはそれに加え社会復帰（＝元の「社会生活」を取り戻す）の側面を取り上げている。

65　正答 1

A、Bとも、後半部分に当てはまる記述がある。

他の選択肢

2 → Bに当てはまる記述なし。
3 → Aに当てはまる記述なし。
4 → A、Bともに、当てはまる記述なし。

言葉と表現

- リハビリテーション：体の機能や職業的な能力を回復するための訓練。英 rehabilitation から。
- ～をはかる：～を図る。実現するように計画する、ねらう。
- 連想(する)：ある物事に関連のあるものを思い浮かべること。
- 合併症：ある病気が原因となって起こる別の病気。
- インフラ：「インフラストラクチャー(infrastructure)」が短くなったもの。生活や生産の基礎となる構造物、環境。
- 現行の：現在行われている
- 相対的に：ほかと比べて見ると(relatively)。⇔絶対的に
- ～をこうむる：被る。よくない結果がもたらされる。被害を受ける。
- 介助(する)：病人や高齢者の動作を手助けすること。
- 寝たきり：病気やけがが原因で、寝ている状態が長期間続いている状態。
- 肝心：非常に重要。
- 主治医：主にその患者の治療を行う医師。

模擬試験 第3回　解答・解説

- □ 作業療法士：医療資格の一つ。occupational therapist を訳したもの。
- □ ～をあおぐ：(助言、指導、援助)を求める。
- □ 指南(する)：教え導くこと。
- □ 代替(する)：ほかのもので代える。代わりにする。
- □ 世間体：世間に対する体裁。public image, reputation
  例 世間体を気にして離職できない。
- □ 抵抗を感じる：嫌だ、受け入れられないと感じる。

問題12（主張理解）

「『悩み』の正体」

66　正答3

「『楽しいのは十代のうちだけ』という価値観」がポイント。

他の選択肢

1、2、4 →「つらいことだけ」「すべて目標をかなえた」「誰かがやってしまった」とは言っていない。

67　正答1

「バブル崩壊後～という感覚が広まっている」に注目する。

他の選択肢

2 → 人々が「無気力」だとは言っていない
3 →「大人たち」の発言や考えには言及がない。
4 →「競争に疲れる」「意欲や目標を失う」などの言及はない。

68　正答4

社会を「人間のライフコース」にたとえている。

他の選択肢

1 → 人々の「年齢」ではなく、「社会」の年齢について説明している。
2 → 成長期や盛りの時期は過ぎたが、「衰退」とまでは言っていない。
3 →「若者の安定志向」は話題にない。

69　正答4

他の選択肢

1 →「若い人ががんばる」などの言及はない。
2 →「街をきれいにする」「マナーを守る」ことへの言及はない。
3 → 経済発展を目標にするのは本文に合わない。

言葉と表現

- □ （若い）層：年齢や性別など一定の条件で分けられた集団。例 若い男性層、主婦層
- □ 悔い：後悔すること。
- □ 繁華街：商店や飲食店の多いにぎやかな地区。
- □ バブル(経済)：1986～1991年の間の好景気。
- □ なぞらえる：たとえる。
- □ さらなる：今以上の。
- □ 得策：得になるやり方。
- □ 虚無感：世の中のすべてのものに価値や意味を認めないこと。

問題13（情報検索）

求人情報

70　正答2

トーさんの条件を整理すると次のとおり。

○ 英語と中国語が話せる
○ 通訳や翻訳の経験なし
○ 8月10日から2週間は帰国する
○ 月曜日、水曜日、金曜日は午後5時から9時までボランティアをしている
○ 車やバイクの免許は持っていない

条件に当てはまるアルバイトは1、2、8、11。

〈条件に合わないアルバイト〉
3、7、10 → 勤務の期間が合わない
4 → 翻訳の経験が必要
5 → 車やバイクの免許が必要
6、9 → 週にできる日数が足りない

71 正答1

（1、2、8、11から）勤務期間が合わないものを消していく。「出勤日要相談」は「今のところ、特に具体的な条件がない」と理解できる。

▌言葉と表現

- **ファミレス**：ファミリーレストラン（家族連れの客を中心にしたレストラン）の略。
- **ホール**：飲食店で、調理場に対して、客席のある部分。
- **要相談**：話し合って決める、ということ。「応相談（＝相談に応じる）」もほぼ同じ意味で使われる。
- **誘導（する）**：人や物をある場所や状態に導くこと。
- **チェーン店**：チェーン・ストアとも。一つの会社が同じ内容・スタイルの店を多数経営すること。英 chain store から。
- **自動二輪**：オートバイ。
- **原動機付自転車**：普通より燃料の消費が小さいタイプのオートバイ。
- **週休**：週のうち決まっている休みの日（の数）。
- **セキュリティ**：安全管理。
- **清掃**：掃除。
- **箱詰め**：箱に入れること。

聴　解

問題1

例　正答2　03 CD3

大学で男の学生と先生が話しています。学生はこのあとどうしますか。

男：先生、すみません、私の発表が再来週なんですが、ちょうどその日に企業の実習が重なってしまいまして…。就職を希望しているところなので、できればそれに行きたいのですが、発表の日にちを変更していただくことはできないでしょうか。

女：そうですか。そういうことなら仕方ないですね。じゃあ、その日は発表は誰かに代わってもらいましょうか。ああ、田中さんがまだ一度も発表していないから、まずは田中さんに聞いてみてください。

男：わかりました。すぐに確認します。

女：もし田中さんが無理だったら、次のゼミの時に全員に聞いてみましょう。

男：はい、わかりました。

女：どちらにしても、わかり次第連絡してください。

男：はい、ありがとうございます。

学生はこのあとどうしますか。

1番　正答1　04 CD3

女の人が、会社が企画したパーティーの参加者リストを作っています。女の人は何を入力しますか。

男：今度のパーティーの件なんだけど、受付用に参加者のリストを作ってくれない？これが申込書。

女：わかりました。あの…申込書には所属とか住所とかいろいろ書いてありますが、リストにはどこまで入れればいいでしょうか。

男：その場で出欠の確認をするだけだから、連絡先とかは要らないよ。

女：では…名前のみの一覧にしましょうか。

男：それだと、どんな人が来ているのか全然把握できないから、所属は残しといて。

女：わかりました。

女の人は何を入力しますか。

言葉と表現

- 所属（する）：あるグループや組織に入っていること。
- 出欠：出席か欠席かということ。
- 把握（する）：しっかり理解すること。

2番　正答1　05 CD3

男の人と女の人が電話で話しています。女の人はこのあとすぐ何をしなければなりませんか。

男：あ、もしもし。伊藤だけど。

女：お疲れさまです。田中です。

男：今、仕事が終わってこれからそっちに戻るんだけど、何か変わったことはなかった？

女：あの、お客様の木村さんという方とアカサタナ銀行の本田さんからお電話がありまして、課長が戻られたら折り返しご連絡するとお伝えしました。

男：本田さんは振込の件だな…。悪いんだけど、至急、会計課に行って、振込の記録を確認してもらえるかな？

女：はい。あの、木村さまも早めに連絡がほしいとのことでしたが。

男：わかった。木村さんにはこちらからすぐ電話するよ。

女：わかりました。振込の件は、確認でき次第、課長にお電話すればよろしいでしょうか。

男：ああ。頼むよ。

女：はい。それでは、また後ほどご連絡します。

女の人はこのあとすぐ何をしなければなりませんか。

言葉と表現

□ 折り返し：（返事をするときに）間をおかずにすぐ。

3番　正答3　06 CD3

大学の学生課で、職員と男の学生が話しています。男の学生はこのあと何をしなければなりませんか。

男：すみません、奨学金の申請書類を提出したいんですが。
女：奨学金ですね。はい。え〜と、申請書に、推薦書に…あれ？ 所得証明が入っていないようですが。
男：えっ？ 所得証明？
女：ええ、ご家族の一年間の収入が書かれた書類ですが、お持ちではないですか。
男：すみません、すっかり忘れていました。
女：その書類は収入を得ている本人が、直接印鑑を持って役所に行かないともらえませんよ。
男：そうですか…。
女：締切まであと2週間ですので、早めに準備してくださいね。
男：わかりました。すぐに家族に連絡してみます。
女：それでは、今ある書類はいったんお返ししますね。
男：はい、書類がそろい次第、改めて伺います。

男の学生はこのあと何をしなければなりませんか。

言葉と表現

□ 所得：一定期間に得た収入から経費を差し引いたもの。

4番　正答1　07 CD3

企業の採用試験会場で、係の人が話しています。参加者はこれから何をしなければなりませんか。

男：本日は、当社の採用試験にお越しいただき、ありがとうございます。本日は筆記試験と面接を予定しています。まず各会場に分かれて筆記試験を受けていただき、終わった人から待合室で待機していただきます。すでに皆様からメールで履歴書をお送りいただいておりますので、面接はその内容をもとに行います。面接は一人ずつ行いますので、終わったら、各自解散となります。それでは、今からそれぞれの会場に移動していただきます。

参加者はこれから何をしなければなりませんか。

言葉と表現

□ 待機（する）：準備をして「その時」が来るのを待つ。

5番　正答2　08 CD3

母と娘が話しています。娘はこのあと何をしますか。

女1：お母さん、ちょっと聞きたいんだけど。
女2：その服どうしたの。かわいいじゃない。
女1：今度友達の結婚式の披露宴に出るから買ったの。夏だからサンダルに素足でいいかな。ストッキングは暑いよね。
女2：披露宴はフォーマルな場だから、ストッキングは履くものよ。
女1：えー！ そうなんだ。知らなかった。危ないなあ。恥をかくところだったよ。黒のタイツしかないけど、黒でいいの？
女2：結婚式だから、黒じゃなくて肌色がいいわね。貸してあげたいところだけど、サイズが合わないだろうな。
女1：そうか…。じゃあ、後でお店に行って見てくる。
女2：美容院はもう予約したの？
女1：自分でセットするつもりだから、手伝ってほしいの。
女2：はいはい。

娘はこのあと何をしますか。

言葉と表現

□ 披露宴：結婚式の際に行われるパーティー。
□ 素足：何も履いていない足。
□ ストッキング：stockings／丝袜／스타킹
□ フォーマル（な）：形式的な（英 formal から）。
□ セットする：整える（英 set から）。

模擬試験 第3回 解答・解説

6番　正答4

女の人と男の人がパソコンのトラブルについて話しています。男の人はこのあと何をしなければなりませんか。

女：お仕事中にすみません。インターネットにつながらないので見ていただけますか。
男：いいですよ。どのような状況ですか。
女：さっきまでは普通に使えていたんですが、突然つながらなくなってしまって。一度電源を切ってみたんですが、だめでした。
男：ほかの方はつながりますか。
女：山田さんも、松村さんも問題ないみたいです。
男：ケーブルははずれていませんか。
女：はい、確認しました。周辺機器も全部見ました。
男：ほかの方が問題ないなら、パソコン自体に問題があるかもしれません。一度こちらでお預かりしてもよろしいですか。
女：わかりました。ちょっと急ぎの仕事があるんですが、代わりのパソコンはお借りできますか。
男：今、うちの部署の者に持って来させますね。
女：ありがとうございます。

男の人はこのあと何をしなければなりませんか。

言葉と表現

□ 周辺機器：パソコンなどにつないで使用する器具や機械。

問題2

例　正答3

男の人と女の人が話しています。男の人が国内旅行にしたいと言っている理由は何ですか。

男：夏休みのオーストラリア旅行の件だけど、あれ、やっぱり国内旅行にしない？
女：えっ？どうして急にそんなこと言うの？ずっと前から計画して、貯金もしてきたじゃない。
男：う、うん…。
女：それに、シドニーの山田さんに街を案内してもらう約束までしてたじゃない。急にキャンセルなんてできないわよ。
男：それはそうなんだけど、8月に大きなプロジェクトを任されて、休むわけにいかなくなったんだよ。
女：そんな…。
男：山田さんにはまた別の機会に行くって連絡しとくからさ。
女：うーん。
男：まあ、でも、近場の温泉とかでのんびりするのもいいんじゃないかな？
女：あーあ。せっかく楽しみにしてたのに。

男の人が国内旅行にしたいと言っている理由は何ですか。

1番　正答4

お年寄り二人が話しています。男の人が観光ガイドのボランティアを続けている一番の理由は何ですか。

女：加藤さん、ボランティアで観光ガイドをなさっているんですって？
男：はい、この地域の観光案内をしているんです。
女：旅行会社に勤めていらしたんでしょう？長年のご経験が生かせるというのはいいですね。
男：まあ、それはそうなんですが…。実は、妻に勧められて始めたんです。定年まで仕事一筋で、地域との関わりがほとんどなかったんで…。

女：そうだったんですか。地域に貢献できるというのはすばらしいですね。
男：貢献というほどでは…。実は、初めは気が進まなくて、続かないんじゃないかと思ってたんです。でも、実際やってみると楽しくなってきて…。
女：最近は外国からの観光客も増えていますから、いろいろな方と接することができるんでしょうね。
男：それはもちろんそうなんですが、何より、この地域の今まで知らなかった一面を知ることができるのがおもしろいんですよ。
女：そうなんですか。なんだか楽しそうなご様子でうらやましいです。
男：ええ、今はこれが一番楽しいですね。

男の人が観光ガイドのボランティアを続けている一番の理由は何ですか。

1、2、3→女性が言っていることで、男性はどれも一番の理由だとは言っていない。

言葉と表現

□ 長年：長い年月。
□ ～一筋：ずっと～ばかりをしてきたということ。
□ 気が進まない：積極的にそれをしようとは思わない。

2番　正答4　⑬CD3

テレビのレポーターが、街で女の人にインタビューしています。女の人は、有料公衆トイレの一番いい点は何だと言っていますか。

男：今、新しくできた有料公衆トイレの前に来ております。トイレの入口で受付の人にお金を払って利用するという、日本では珍しいタイプの公衆トイレです。早速、街の人にお話を伺ってみましょう。あ、すみません。ちょっとよろしいでしょうか。
女：はい。
男：失礼ですが、こちらに有料公衆トイレが設置されたことをご存知でしたか。
女：はい。何度か使ったことがあります。

男：そうですか。利用されてみて、いかがでしたか。
女：やっぱり有料だけあって、広くて清潔ですね。設備も充実してますし。
男：なるほど。こちらのトイレは、最新の技術によって臭いをなくしているそうですが、そのあたりはどう感じられましたか。
女：あ、言われてみればそうですね。気づきませんでした。
男：そうでしたか。あのー、入口で受付の人にお金を払って利用するということに抵抗を感じる方もいらっしゃいますが、それについてはどう思われますか。
女：初めはそう思ったんですが、実際に使ってみて、スタッフが常にいるというのはいいと思いました。安心して使えるのが一番の魅力です。
男：そうですか。ありがとうございました。
女：いえ。

女の人は、有料公衆トイレの一番いい点は何だと言っていますか。

言葉と表現

□ 設置（する）：新たに機関や施設を設けたり、必要なものを備えたりすること。
□ 最新：一番新しいこと。

3番　正答3　⑭CD3

地域政策の専門家と役所の職員が話しています。専門家はどのような提案をしていますか。

女：この町は今、高齢化に歯止めがかからず、高齢者福祉にたくさんの予算が必要とされています。我々はどのような高齢化対策を取るべきでしょうか。
男：そうですね。もちろん、高齢者福祉がとても重要なテーマであることに変わりはないのですが、ただ、少し視点を変えてみてはどうかと思います。
女：というのは？
男：これは、ある村の事例なんですが、その村の出生率は全国平均よりもかなり高く、村の人口における子どもの割合も急速に伸びているん

模擬試験 第3回 解答・解説

です。
女：えっ、何か特別なことをされているんでしょうか。
男：ええ、実はその村は、とにかく子育て世代を呼び込むことに力を注いだんです。例えば、子供がいる家族に村が運営する住宅を安く提供するなどしたんです。
女：それは魅力的ですね。でも、それでは財政的にかなり厳しいんじゃないでしょうか。
男：確かに、お金の面ではずいぶん苦労したようですが、これまでの予算を見直して、無駄なものを大幅に削減していったそうです。この町でも同じことができると思うんです。
女：そうですか。この町の将来を考えるうえでも、大変参考になりました。

専門家はどのような提案をしていますか。

言葉と表現

□ **歯止めがかからない**：物事が悪化するのを止められないこと。
□ **事例**：具体的な事実としての例。
□ **出生率**：新たに子どもが生まれる割合を示すもの。
□ **〜に力を注ぐ**：〜に力を入れる。
□ **財政**：finance／財政／재정
□ **大幅(な)**：変化の幅が大きいこと。
□ **削減**：減らすこと。

4番　正答3　(15 CD3)

男の学生が、大学のスポーツサークルのメンバーに挨拶をしています。男の学生はほかのメンバーに何を伝えようとしていますか。

男：皆さん、これまで本当にありがとうございました。このサークルをずっと続けていきたいと思っていましたが、以前からの夢だったアメリカ留学が決まり、今日をもってやめることになりました。それで、最後にこれだけは皆さんに伝えておきたいということがあります。それは、このサークルでの活動を楽しむだけのものにしてほしくないということです。もちろん、楽しむことを否定するわけではありません。でも、それだけを目的にするのではなく、あくまでも勝利を目指して、メンバー同士切磋琢磨し、一生懸命練習してほしいんです。一生懸命練習して、上達して、試合に勝利したりした結果として、単なる楽しさ以上の、喜びや感動を味わうことができると思うんです。なんだか古臭いって言われるかもしれないけど、やっぱり、遊び目的だけのサークルにはしてほしくないんです。これが僕の願いです。

男の学生はほかのメンバーに何を伝えようとしていますか。

言葉と表現

□ **あくまでも**：徹底して、全く、どこまでも。
　例 あくまでも噂です。
□ **切磋琢磨(する)**：仲間同士で励まし合い競い合って向上する。四字熟語。
□ **古臭い**：まさに古いという感じ。時代遅れの感じ。

5番　正答3　(16 CD3)

女の人と男の人が冷蔵庫について話をしています。女の人が冷蔵庫を選んだ一番の決め手は何ですか。

女：最近、冷蔵庫を買ったの。
男：へー、そうなんだ。うちも買い替えを検討してるんだけど、どうやって選んだ？
女：最初は機能にはそんなにこだわらなくて、値段で決めようと思ってたんだけど、お店の人の説明を聞いてたらいろいろと目移りしちゃって。
男：冷蔵庫もどんどん進化してるよね。省エネなんて、もう当たり前だし。
女：そうなの。それで、今までの冷蔵庫は臭いが気になってたから、消臭機能があるものにしたの。予算はちょっと超えちゃったんだけど、長く使うものだし、と思って。
男：僕は食品をなるべく新鮮な状態で保てるものがほしいんだよね。
女：ああ、食品を乾燥から守ってくれるんでしょ。私もそれ、いいなと思ったんだけど、手が出なかった。

女の人が冷蔵庫を選んだ一番の決め手は何ですか。

> 言葉と表現

□ **目移りする**：ほかのものも気になり、迷う。
□ **省エネ**：省エネルギーの略。資源エネルギーを節約すること。
□ **手が出ない**：高くて買うことができない。

6番　正答2　17 CD3

女の人と男の人があるスポーツのチームについて話をしています。このチームが強くなった理由は何だと言っていますか。

女：大会前の予想を裏切り、これまで優勝候補として一度も名前の挙がらなかったチームの優勝という結果になりました。いやあ、驚きました。

男：そうですね。去年は予選で敗退しましたから、この一年で大きく力をつけましたね。

女：この成長の要因は何でしょうか。

男：一言で言うと、弱点を強みに変えたことでしょう。他のチームに比べて小柄な選手が多く、体格的に不利な分、基礎的な体力づくりを徹底的に行ったんですね。その結果、試合での運動量が増え、大会を通じて調子を落とさず戦い抜くことができたんだと思うんです。あと、選手層の薄さを補うために一人一人が自分の役割をきちんと果たしていましたね。チームとしてよくまとまっていたと思います。

女：なるほど。今後に向けた課題は何でしょうか。

男：そうですね。若い選手のレベルアップですね。それができれば層も厚くなって、さらに強くなるでしょう。

このチームが強くなった理由は何だと言っていますか。

> 言葉と表現

□ **予想を裏切る**：予想に反する結果を示す。
□ **敗退（する）**：（スポーツなどの勝負に）負けて去ること。
□ **選手層の薄さ**：力のある選手が少ないこと。
□ **レベルアップ**：レベルを上げること。

7番　正答4　18 CD3

男の人がある芸術作品について話しています。この芸術作品のどういうところが素晴らしいと言っていますか。

男：こちらの作品はこの画家の代表作の一つで、晩年によく通っていた食堂を描いたものです。モチーフ自体はそれまでと同じく日常の風景なのですが、この作品は彼の他の作品のように、すっと心に入ってきませんでした。まず目に飛び込んでくるのは、正面のテーブルと、その脇に力なく腰かける中年男性です。薄暗い店内に浮かび上がる明るい色のテーブルが、男性の複雑な表情を際立たせています。周囲には薄い色のテーブルが壁に沿って置かれており、そのうち数席には他の男性客がぼんやりと座っています。どこにでもあるような食堂に、何も食べずにただそこにいる人々。作品自体は細かいところまで丁寧に描かれリアルなだけに、この不自然さが見る者の好奇心や想像力をかきたてるのです。見れば見るほどこの不思議な空間に引き込まれるようで、私も実際の作品を美術館で見た時は、作品の前を長いこと離れられませんでした。人によって、また、その時の精神状態によって受け取り方が変わってくるおもしろさが、この作品にはあります。

この芸術作品のどういうところが素晴らしいと言っていますか。

> 言葉と表現

□ **晩年**：一生の終わりの時期。
□ **モチーフ**：作品で主に描かれるもの。
□ **目に飛び込んでくる**：視界に入ってきて、思わず見てしまう。
□ **リアル（な）**：実際のような、現実のような（英 real から）。
□ **好奇心**：curiosity／好奇心／호기심
□ **かきたてる**：（刺激を与えて）気持ちや感情を引き起こす。

模擬試験 第3回 解答・解説

問題3

例　正答 3

テレビでレポーターが話しています。

男：Uターン就職とは、地方出身の人が、都心で一度働いた後に、再び自分の故郷に戻って働くことをいいます。例えば、北海道出身の人が一度東京に出て働き、その後再び北海道に戻って仕事をする、というようなケースです。Uターン就職をした人の声を聞くと、自分のふるさとの自然やライフスタイルに魅力を感じて決断した人が多いようです。都会では時間に余裕のないライフスタイルになりがちですし、物価も高く、住宅を購入することも困難です。そこで、自分のライフスタイルを見直したいという人を中心に、Uターン就職が注目されているのです。

レポーターは主に何について話していますか。

1　都会のライフスタイル
2　都会と地方の物価の差
3　Uターン就職の魅力
4　ふるさとにUターン就職する人の数

言葉と表現

□ Ｕターン（する）：「来た道を戻ること」「東京など都会に出て暮らす人が、実家のある地方に戻ること」の2通りの意味がある。
□ 購入（する）：買うこと。

1番　正答 2

大学の授業で先生が話しています。

女：では、授業を始めます。今日は初回ですから、まず、授業の内容について説明します。この授業で取り上げる発達心理学とは、人間の生涯にわたる発達の過程を研究する心理学の一分野です。みなさんは将来、保育や教育に関わる職業に就くことを目標としていますから、特に乳幼児期から青年期の発達に焦点を当てたいと思います。そして、赤ちゃんや幼児の保育、児童や生徒に対する教育の現場での実例も交えながら講義をしていきます。次年度から本格的にテーマ研究や実習が始まりますから、この授業ではそのための基礎的な知識を身につけてください。そして、今後、自分がどのような形で人間の発達というテーマと関わっていくかという方向性も見つけてもらえたらと思います。

この授業ではどのようなことを学びますか。

1　保育や教育に関する仕事に就くための方法
2　子どもや青年の発達についての基礎知識
3　人間の発達についての研究方法
4　教育制度と個人の発達との関係

□ 生涯：一生の間。
□ 乳幼児：乳児（生まれてから1年ぐらいまでの子）と幼児（幼い子、小学校入学前の子供）。
□ 本格的（な）：（簡単にしたものなどでなく）本来の形式であること。例 本格的な調査／レストラン

2番　正答 1

交通教室で警察官が話しています。

女：皆さんは自転車に乗る機会が多いと思いますが、きちんと規則を守っているでしょうか。普段、歩道を走っている自転車をよく見かけますが、自転車は軽車両、つまり車ですので、原則として車道を走らなければなりません。歩道はあくまで歩行者優先ですので、やむを得ず歩道を走る際は、歩行者に十分気をつけて運転しましょう。自動車と同様、飲酒運転や携帯電話を操作しながらの運転は事故につながりますから、絶対にしてはいけません。自転車は、自動車と違って免許証がなくても乗ることができますし、手軽で便利だと思われがちですが、さまざまな決まりがあるということを忘れないでください。

警察官は、主に何について話していますか。

1 自転車に乗るときに注意する点
2 自転車事故が増えている原因
3 自転車の運転免許の必要性
4 自転車と自動車の違い

言葉と表現

□ 軽車両：原動機(motor)をもたない車。
□ 歩行者：(車などに対して)歩いている人。
□ やむを得ず：しかたなく。

3番　正答2　24 CD3

テレビで専門家が話しています。

女：トマトは、私たちの食生活にはおなじみの野菜ですが、皆さん、「トマトが赤くなると医者が青くなる」という言葉をご存知でしょうか。トマトには豊富な栄養が含まれているので、食べると病気の予防になるのです。それで、病院に行く人が減ってしまい、医者が困ってしまうというわけです。近年、トマトの持つ栄養素の中でも、特にリコピンというものが注目されています。リコピンは美容やダイエット、さまざまな病気にも有効に働くと言われています。摂取量の目安としては一日15ミリリットル…えー、つまりこれはトマト2個分、トマトジュースでグラス約1杯分です。皆さんも、サラダやジュース、あるいはいろいろな料理に使うなどして、トマトをもっと食べるようにしてみませんか。野菜の中では比較的安いほうですし、家庭菜園でも簡単に作れます。美容と健康におすすめですよ。

専門家の話のテーマは何ですか。

1 トマトの調理方法
2 トマトの栄養価
3 トマトの消費量
4 トマトの育て方

言葉と表現

□ (お)なじみ：昔からよく知っている。
□ 摂取(する)：栄養などを体に取り入れること。
□ 目安：おおよその目標、基準。

□ 家庭菜園：家庭で野菜や果物を作ること。

4番　正答2　25 CD3

会社の会議で人事担当の社員が話しています。

男：近年、日本への留学生数が増えたことや、企業活動のグローバル化が進んだことにより、国籍を問わず優秀な人材を確保したいと考える企業が増えています。わが社でも、今後留学生を積極的に採用していくことで、さまざまな事業の可能性を広げることができるのではないかと考えています。特に語学力のある留学生、例えば母国語、日本語、さらにそれ以上の言語を話せるような人材は、今後海外展開に力を入れていくわが社にとって必要不可欠です。そういった人材には、現地スタッフとの橋渡しになってもらうのはもちろんのこと、ぜひ現地支社のリーダーになってほしいと期待しています。

社員は主に何について話していますか。

1 会社の海外展開の可能性
2 留学生の採用
3 日本人社員の語学力
4 現地スタッフの採用

言葉と表現

□ グローバル化：世界規模になること。
□ 確保(する)：確実に手に入れる。
□ 必要不可欠(な)：とても必要で、欠くことができないこと。
□ 橋渡し：両者の間に入って、良い関係をつくる役割をすること。

5番　正答2　26 CD3

講演会で男の人が話しています。

男：この報告書では、日本で絶滅の恐れのある約5000種の動植物について、その絶滅の危険性の高さから4つに分類しています。危険性の高いものは、例えば動物なら、他の地域で人工的に飼育した後、元の地域に戻すことによって繁

模擬試験 第3回 解答・解説

殖させます。また、それぞれの地域でその動物を守る市民の会が発足するなどの保護活動が行われたりしています。世界ではこの30年間で膨大な数の生物が死滅したと推測されていて、その原因のほとんどは人口の増加や開発など、人間によるものです。また、グローバル化により人や物の移動が激しくなったことで、外来生物が元々その土地にいた生物を絶滅に追いやっていることも、近年問題となっています。現在、このように生存の危機にさらされている生物をどう守っていくか、さまざまな方法が模索されているところです。

男の人はどのようなテーマで話をしていますか。

1 地球環境の危機
2 野生生物の保護
3 自然破壊の要因
4 動物保護の精神

言葉と表現

- 繁殖(する)：生物が数を増やすこと。
- 発足(する)：団体や会をつくり、活動を始める。
- 死滅(する)：すべて死んで、いなくなる。
- グローバル化：世界規模になること。
- 外来：よその土地から来ること。
- 生存(する)：生き続けること。
- 模索(する)：試しながら探し求める。

6番　正答4

テレビでレポーターが話しています。

男：この夏も全国的に暑くなりそうです。企業で節電が定着してきましたが、家庭での取り組みとして人気なのは、緑のカーテンです。これは日の当たる場所に植物を育てて作る自然のカーテンです。植物のツルと葉で日光を遮るだけでなく、葉っぱが水分を蒸発させるので周囲の温度を下げてくれます。最近のガーデニングブームも手伝い、多くの家庭で見られるようになりました。特に人気のある植物は沖縄でよく食べられている野菜、ゴーヤです。涼しくしてくれる上に、料理にも使えるなんて一石二鳥ですね。これから本格的な夏を迎えますが、さまざまな工夫で乗り切りたいですね。

レポーターは主に何について伝えていますか。

1 企業での節電の取り組み
2 企業と家庭の節電方法の違い
3 カーテンの色による印象の違い
4 緑のカーテンの効果

言葉と表現

- ツル(植物)：vine ／蔓／덩굴
- 遮る：じゃまをする。
- ガーデニング：園芸、園芸を楽しむこと(英 gardening から)。
- ブーム：流行り(英 boom から)。
- 一石二鳥：一つのことをして、同時に二つの利益や効果を得ること。四字熟語。
- 本格的(な)：(簡単にしたものなどでなく)本来の形式であること。

問題4

例　正答3　[29 CD3]

男：すみません、今お時間よろしいでしょうか。
女：1　ええ、よろしいです。
　　2　いいえ、結構です。
　　3　ええ、何でしょうか。

1番　正答3　[30 CD3]

男：課長、この古いプリンター、もうずっとほこりかぶってる状態なんで、処分してもよろしいでしょうか。
女：1　うん。処分は免れないだろうな。
　　2　うん。ずっとそのままの状態を保てるといいね。
　　3　うん。もう誰も使ってないしね。

1→「処分は免れない」は人に対して使う表現。

言葉と表現

□ **ほこりをかぶる**：長い間そのままにされて、ほこりがたまっている。

□ **処分（する）**：使わないものとして、捨てるなどする。

2番　正答1　[31 CD3]

女：うちの両親ったら、妹の肩ばかり持つんだよ。私、悪くないのに。
男：1　その気持ち、よくわかるよ。
　　2　ごめん。僕が悪かったよ。
　　3　じゃ、謝ったほうがいいよ。

親がいつも妹の味方をすることに不満を述べている。
2→男の人は関係ない。

言葉と表現

□ **肩を持つ**：対立しているものの一方の味方をする。

3番　正答2　[32 CD3]

女：企画書の修正で手いっぱいなら、書類の整理やっとこうか。
男：1　さすが、手が込んでるね。
　　2　悪い。そうしてもらえると助かる。
　　3　遠慮しなくていいよ。大したことないから。

忙しそうな人に、代わりに作業をしてあげようかと尋ねている。
1→誰かの仕事の内容を評価する言葉。
3→手伝ってあげる側の言葉。

言葉と表現

□ **手いっぱい**：ほかのことをする余裕がないこと。

□ **やっとこう**：やっておこう。

□ **手が込む**：手間がかかっている。

4番　正答3　[33 CD3]

男：先輩、取引先との交渉、手ごたえはいかがでしたか。
女：1　うん。まあまあよくできていると思うよ。
　　2　うん。その話はなくなったと思うよ。
　　3　うん。できる限りのことはやってきたよ。

交渉がうまくいったかどうか聞いている。
1→相手の仕事を評価する時の言葉。
2→すでに終わった交渉の手ごたえを聞かれているので、「その話はなくなったと思う」と言うのはおかしい。

言葉と表現

□ **手ごたえ**：いい反応。感じられる効果。

5番　正答1　[34 CD3]

男：あーあ、なんでカメラを持ってこなかったんだろう…。
女：1　せっかくのいい景色なのにね。
　　2　カメラ持ってきてたんだ。
　　3　じゃあ、貸してもらってもいい？

カメラを忘れてきてしまい、後悔している。
2、3→カメラは持ってきていないのでおかしい。

模擬試験 第3回 解答・解説

6番　正答1

男：山田くん、今晩、一杯どうだい？

女：1 すみません、今日はちょっと予定が入っておりまして……。
　　2 いえ、5杯ぐらい飲みますよ。
　　3 ええ、それで結構です。

上司の誘いを丁寧に断る場面。

言葉と表現

□ 一杯どう？：お酒を飲みに誘うときの表現。
□ 〜い？：「い」は会話の中で文の最後に付き、意味を強める。例彼は本当に来るのかい？

7番　正答3

男：急で本当に悪いんだけど、明日のバイト、代わってくんないかな？

女：1 急いでたんだからしょうがないね。
　　2 それは大変だったね。
　　3 代わってあげられないことはないけど…。

言葉と表現

□ 〜ないことはないけど：「〜」には「[動詞の可能形] のナイ形」が入る。可能だけど消極的であることを表す。

8番　正答3

男：一度や二度の失敗で、そんなに気を落とすことはないよ。

女：1 残念ですね、三度目は成功したのに。
　　2 どうしたら上げられるでしょうか。
　　3 はい、次こそうまくやります。

2→「気を上げる」とはいわない。
3→励ましに応える一言。

言葉と表現

□ 気を落とす：元気をなくす。

9番　正答3

女：論文の発表会、無事に終わってよかったですね。

男：1 はい、無事で何よりです。
　　2 はい、明日は頑張ります。
　　3 はい、先生のご指導のおかげです。

1→「無事で何より」は事故などにあわなかったときに使う。

10番　正答3

女：ねえねえ、仕事中の間食が禁止になったんだって。信じられないよね。

男：1 え、食事中はいいの？
　　2 え、全部食べたの？ すごい。
　　3 え、知らなかった。いつから？

言葉と表現

□ 間食：食事と食事の間に食べること。おやつ。

11番　正答3

男：本当に家族思いのいい旦那さんだね。

女：1 そう？　うらやましいわ。
　　2 そう？　期待しすぎよ。
　　3 そう？　ほめすぎよ。

男の人が、女の人の夫について言っている。

言葉と表現

□ 家族思い：家族のことを大切にすること、そのような人。例親思い

12番　正答1

女：こっちの作業を先に済ませたらどう？

男：1 ああ、そのほうが効率的ですね。
　　2 すみません、まだです。
　　3 よかったと思います。

2→女の人は、まだであることを前提に提案している。

13番　正答2

女：大変申し訳ございません。すぐに新しいものにお取り替えいたします。

男：1　そんなに新しくなくて結構ですよ。
　　2　お願いします。
　　3　ご迷惑をおかけしました。

店などで不良品があったときの会話場面。
1→「新しい」は不良品でない新品の意味。

問題5

1番　正答2

通信販売の会社で会議をしています。

男：では次に、婦人服部門のインターネット販売について、改善点を検討しましょう。

女1：はい。お客様に、ウェブサイトをどう改善すれば商品がより選びやすくなるかという質問をしたところ、着ているときのイメージがもっとよくわかるようにしてほしいという意見が最も多かったです。

女2：具体的には、いろいろな角度から見られるように動画があるといい、モデルが商品を着ている写真を増やしてほしい、などの声が多く寄せられました。

男：どちらも検討すべき点ですが、コストがかかりますね。ほかにはどんな意見がありましたか。

女1：はい。商品の説明をもっと詳しくしてほしいとか、商品の分類をもっと細かくしてほしいといった意見が比較的多かったです。

男：商品の説明を加えるのはすぐにできそうですね。

女2：そう考えたんですが、これ以上細かく説明すると、文字が多くなりすぎてしまうと思うんです。実際、もっと簡潔な説明でよいという意見もありました。

男：じゃあ、商品のカテゴリーを今より細かくすることを検討してみましょうか。

女1：あのー、それについてですが、以前、種類の多いTシャツを細かく分類してみたところ、とても複雑になって、かえって不便だと言われたんです。

女2：なかなか難しいですね。どうでしょう。まずは最も要望の多い点について改善を進めては？

男：そうですね。動画で商品を見せるにはシステムを大幅に変更する必要がありますから、写真の方を何とかしましょうか。

女1：では、早速予算を立ててみます。

商品を選びやすくするためにどうすることにしましたか。

模擬試験 第3回 解答・解説

1 商品を動画で表示させる
2 商品の写真を増やす
3 商品の説明を詳しくする
4 商品を細かく分類する

言葉と表現

□ 動画：moving image／动画／동영상
□ 大幅(な)：変化の幅が大きいこと。
□ 表示(する)：はっきりと表し示すこと。

2番　正答3　〔45 CD3〕

デパートで店員と客が話しています。

男：友人の子供の2歳の誕生日プレゼントを探しているんですが、どういうものが人気がありますか。
女1：2歳のお子様のお祝いでしたら、ベビー服、食器、おもちゃなどをお求めになるお客様が多いですが…。
男：ベビー服とかいいんじゃない？　かわいい服買ってあげようよ。
女2：そうね…、でも、田中さんとこ、女の子二人目でしょ。服とか、あと食器とか、上の子のがあるから、そんなに不自由してないんじゃないかなあ。
男：たしかにな…。
女1：それでしたら、おもちゃはいかがでしょうか。当店では輸入ものの珍しいものも含め豊富に取り揃えております。
女2：面白そう！　いいんじゃない？　見てみましょうよ。
男：そうだね。でも、実は絵本もいいなって思ってたんだよね。
女2：絵本か…。まあ、確かに、悪くはないと思うけど…。でも、選ぶのが大変そう。
男：とりあえずみてみようよ。ぴんときたものがなければ、無理に絵本にしなくてもいいからさ。
女2：わかったわ。

女の人は、何がいいと思っていますか。

1 ベビー服　　2 食器
3 おもちゃ　　4 絵本

言葉と表現

□ 不自由する：なくて困る。
□ ぴんとくる：直感的にそれがいいと思うこと。

3番　質問1：正答1　質問2：正答3　〔47 CD3〕

テレビで男の人が話しています。

男1：この地域では家庭ごみの削減に早くから取り組んでいます。レジ袋の有料化は5年前から、ごみ袋の指定、有料化も3年前から行っていて、家庭から出されるごみの量を5年前に比べて20％も減らすことに成功しました。毎年行われているリサイクルフェアでは、集めたペットボトルのふたを、それから作られるボールペンに交換できるなど、面倒だと思われがちなリサイクルを楽しくする取り組みが行われています。このように市民の環境に対する問題意識を高めたことで、ほかにも各家庭でさまざまな努力が行われるようになりました。例えば、家庭から出る燃えるごみの約40％を占める生ごみを、肥料にして家庭菜園やガーデニングに使えば、野菜や植物も良く育ち、生ごみを減らすことになります。また、古着や使い古しのタオルを買い物バッグや雑巾にする、チラシの裏面をメモ用紙にするなど、地道な努力が大きな成果へと結びついています。

女：20％って結構大きいね。私たちもできることをしないとね。
男2：すぐに始められそうなこともあったな。俺、今までキャップ捨てちゃってたよ。
女：あら、私は集めてたわよ。近所のスーパーに回収ボックスがあるじゃない。
男2：え、あそこのスーパー？　知らなかった！　今度から持っていくよ。
女：私はつい最近、古いミシンを譲ってもらったところ。
男2：じゃ、もう着なくなったような服で縫う練習をしたら？
女：そうね。たんすで眠っている服がたくさんあるし。

質問1　男の人は何のリサイクルをすることにしましたか。

質問2　女の人は何のリサイクルをすることにしましたか。

言葉と表現

- 削減（する）：減らすこと。
- ガーデニング：園芸、園芸を楽しむこと（英 gardening から）。
- 使い古し：古くなり使わなくなったもの。
- ぞうきん：汚れを拭いてとるための布（古くなったタオルを使う）。
- 地道（な）：（努力などが）一歩一歩確実な様子。
- キャップ：ふた。
- 回収（する）：（管理や処理のために）集めること。
- たんすで眠る：服などがずっと使われないこと。慣用句。

模擬試験の採点表

配点は、この模擬試験で設定したものです。実際の試験では公表されていませんが、各科目の合計得点が示されているので(60点)、それに基づきました。「基準点＊の目安」と「合格点の目安」も、それぞれ実際のもの(19点、100点)を参考に設定しました。
＊基準点：得点がこれに達しない場合、総合得点に関係なく、それだけで不合格になる。

★合格可能性を高めるために、110点以上の得点を目指しましょう。
★基準点に達しない科目があれば、重点的に復習しましょう。

●言語知識（文字・語彙・文法）

大問	配点	満点	第1回		第2回		第3回	
			正解数	得点	正解数	得点	正解数	得点
問題1	1点×6問	6						
問題2	1点×7問	7						
問題3	1点×6問	6						
問題4	2点×6問	12						
問題5	1点×10問	10						
問題6	2点×5問	10						
問題7	2点×5問	10						
合計		61						
（基準点の目安）				(20)		(20)		(20)

● 読解

大問	配点	満点	第1回 正解数	第1回 得点	第2回 正解数	第2回 得点	第3回 正解数	第3回 得点
問題8	2点×4問	8						
問題9	2点×9問	18						
問題10	3点×4問	12						
問題11	3点×3問	9						
問題12	3点×4問	12						
問題13	2点×2問	4						
合計		63						
(基準点の目安)				(20)		(20)		(20)

● 聴解

大問	配点	満点	第1回 正解数	第1回 得点	第2回 正解数	第2回 得点	第3回 正解数	第3回 得点
問題1	2点×6問	12						
問題2	2点×7問	14						
問題3	2点×6問	12						
問題4	1点×13問	13						
問題5	3点×4問	12						
合計		63						
(基準点の目安)				(20)		(20)		(20)

	第1回	第2回	第3回
総合得点	/187	/187	/187
(合格点の目安)	(104)	(104)	(104)

採点表

合格への直前チェック
試験に出る重要語句・文型リスト

- **文字** ◆ 複数の訓読みのある漢字
- **語彙** ◆ 意味の似ている言葉
- **文法** ◆ しっかり押さえておきたい頻出文型70

    意味や機能が似ている表現（文末表現／否定表現）
- **読解** ◆ 読解問題に出るキーワード
- **聴解** ◆ 聴解問題に出るキーワード

文字 複数の訓読みのある漢字

漢字	読み	例
□ 弾	ひーく	ギターを弾く
	はずーむ	ボールが弾む、会話が弾む
	たま	弾が当たる
□ 怠	なまーける	仕事を怠ける、怠け者
	おこたーる	注意を怠る
□ 担	かつーぐ	荷物を担ぐ
	になーう	重要な役割を担う
□ 速	はやーめる	速度を速める
	はやーい	流れが速い川
	すみーやか(な)	速やかに行動する
□ 和	やわーらぐ	痛みが和らぐ
	なごーむ	心が和む
	なごーやか(な)	和やかな雰囲気
□ 富	とーむ	バラエティーに富む
	とみ	莫大な富を築く
□ 潜	ひそーむ	どこかにヘビが潜んでいるかもしれない。
	もぐーる	海に潜る
□ 覆	おおーう	両手で顔を覆う
	くつがえーす	常識を覆す
□ 省	はぶーく	説明を省く、無駄を省く
	かえりーみる	自分の行動を省みる
□ 抱	だーく	赤ちゃんを抱く
	いだーく	疑問を抱く、夢を抱く
	かかーえる	両手でかばんを抱える
□ 負	まーける	2対0で負ける
	おーう	責任/義務/負担/罪/傷を負う
□ 悔	くーやむ	過去を悔やむ
	くーいる	罪を悔いる
	くやーしい	悔しい思いをする
□ 緩	ゆるーむ	ねじが緩む、気が緩む
	ゆるーい	(服の)ゴムが緩い
	ゆるーやか(な)	緩やかな坂道
□ 占	しーめる	大部分を占める
	うらなーう	未来を占う
□ 断	ことわーる	誘いを断る
	たーつ	関係を断つ
□ 頼	たのーむ	仕事を頼む
	たよーる	知人を頼る
	たのーもしい	頼もしい味方
□ 優	すぐーれる	優れた技術
	やさーしい	優しい声
□ 逃	にーげる	犯人が逃げる
	のがーす	タイミングを逃す
□ 平	たいーら(な)	平らな土地
	ひら	平社員
□ 触	ふーれる	画面に触れると音が鳴り出した。／その話題には触れたくない。
	さわーる	汚れた手で触らないでください。

漢字	読み	例
□ 汚	けが—れる	心が**汚れる**、名前が**汚れる**
	よご—れる	服が**汚れる**、**汚れた**手
	きたな—い	部屋が**汚い**、**汚い**やり方
□ 外	はず—す	指輪を**外す**、席を**外す**
	はず—れる	ボタンが**外れる**、コースから**外れる**
	ほか	思いの**外**
	そと	**外**で遊ぶ
□ 著	あらわ—す	歴史小説を**著す**
	いちじる—しい	**著しい**成長
□ 指	さ—す	北の方角を**指す**
	ゆび	長い**指**
□ 治	なお—る	けがが**治る**
	おさ—める	国を**治める**
□ 細	ほそ—い	**細い**線
	こま—かい	**細かい**説明
□ 空	あ—く	席が**空く**
	から	**空**のビン
	そら	青い**空**
□ 重	かさ—なる	予定が**重なる**
	かさ—ねる	**重ねて**置く
	おも—い	**重い**カバン
□ 降	お—りる	バスを**降りる**
	ふ—る	雪が**降る**
□ 傷	いた—む	果物が**傷む**
	きず	家具に**傷**がつく
□ 割	わ—る	卵を**割る**
	さ—く	時間を**割く**
□ 結	むす—ぶ	ひもを**結ぶ**
	ゆ—う	髪を**結う**
□ 嫌	きら—う	けんかを**嫌う**
	きら—い(な)	**嫌いな**食べ物
	いや(な)	**嫌な**仕事
□ 集	あつ—める	お金を**集める**
	つど—う	広場に**集う**
□ 怒	おこ—る	先生が**怒る**
	いか—り	**怒り**を表す
□ 勝	まさ—る	相手に**勝る**
	か—つ	試合に**勝つ**
□ 厳	きび—しい	**厳しい**父親
	おごそ—か(な)	**厳かな**儀式
□ 親	した—しむ	音楽に**親しむ**
	した—しい	**親しい**友人
	おや	**親**と子の関係
□ 新	あたら—しい	**新しい**服
	あら—た(な)	**新たな**気持ち
□ 実	みの—る	作物がよく**実る**、努力が**実る**
	み	木の**実**

試験に出る 重要語句・文型リスト

語彙　意味の似ている言葉

動詞

- □ 高まる　例 新首相への期待が高まっている。
  上昇する　例 株価が上昇した。
  ★価格や温度など数値について言う場合は、「上昇する」を使うことが多い。

- □ 案じる　　例 国の将来を案じる
  気にする　例 失敗を気にする、髪を気にする
  気にかける 例 他人のことを気にかける
  ★「案じる」は、これからどうなるかを心配するときによく使われる。「気にする」は、あることが頭から離れない様子。

- □ 回復する　例 景気が回復する、体力の回復
  復旧する　例 道路が復旧する、システムが復旧する、被災地の復旧、復旧工事
  ★「復旧する」は、電気や道路など設備について言うことが多い。

- □ 強制する　例 参加を強制する
  強いる　　例 精神的苦痛を強いる
  ★「強いる」は、苦痛や緊張など具体的な動作でない場合にも使える。

- □ 怠ける　例 怠けて勉強しない、怠け者
  怠る　　例 確認を怠る、義務を怠る
  おろそかにする
  　　　　例 基本をおろそかにしてはいけない。／家庭をおろそかにする
  ★「怠ける」は、面倒くさいと思って、勉強や仕事をしない場合に使う。「おろそかにする」は、いい加減にやったり軽く考えたりすること。

- □ 付け加える 例 最後に一言付け加える
  補足する　 例 説明を補足する
  ★「補足する」は、現状では不足があると考え、内容を付け加えた場合に使われる。

名詞

- □ 根回し　例 会議の前に根回しをしておく。
  手回し　例 彼はいつも手回しがいい。
  ★「根回し」は、交渉や会議がうまくいくように、その前に関係者と調整すること。

- □ 進路 例 卒業後の進路について先生と相談した。／船の進路を妨害する
  前途 例 会社の前途は明るい。
  ★具体的な行き先がある場合は「進路」。

- □ 逆さま　例 地図をさかさまに見ていた。
  あべこべ 例 日本人が外国人に日本語を教わるなんて、あべこべだ。
  ★「逆さま」は正しいことを基準として、それと反対の様子を表す。

- □ 手はず　　例 パーティーの手はずはすでに整っている。
  手配（する）例 チケットの手配をする。／旅行の手配、手配を頼む（×手はずを頼む）
  ★「手配」は予約についてよく使われる。

- □ 手順　例 申し込みの手順、作業手順、決められた手順に従う
  段取り 例 彼はいつも段取りが悪い。
  ★「手順」は順番、「段取り」は準備・用意に重点が置かれる。

形容詞

- 著しい　例　著しい進歩、成長著しい選手
  甚だしい　例　甚だしい被害／そんなことを言うなんて、非常識も甚だしい。
  猛烈（な）　例　猛烈な雨、猛烈な勢い
  ★「甚だしい」は、望ましくないことに使われることが多い。「猛烈」は、勢いが激しい様子。

- 巧み（な）　例　彼は巧みな技を見せてくれた。
  巧妙（な）　例　彼は巧妙な方法で大金を得た。
  見事（な）　例　彼は見事な成績を収めた。
  ★「巧妙」は悪い意味で使われることが多い。「見事」は結果が完全である様子を表す。

- 曖昧（な）　例　ここの表現がちょっと曖昧だと思う。
  あやふや（な）　例　あやふやな態度
  ★ともに「はっきりしない」様子を表すが、「あやふや」は、「信頼できない、疑わしい」といった否定的な気持ちを多少含む。

- 地味（な）　例　地味な服装、地味な印象
  内気（な）　例　内気な子ども
  控えめ（な）　例　控えめな甘さ、控えめな性格
  ★「内気」は人の性格についてのみ使う。

- 煩わしい　例　煩わしい人間関係
  やっかい（な）　例　やっかいな客
  ややこしい　例　ややこしい計算
  ★「煩わしい」「やっかい」は、面倒くさくて、できれば避けたいという気持ちを含む。

- まちまち　例　参加者の意見はまちまちだった。
  ばらばら　例　戦争で家族がばらばらになった。／リーダーがいなくなって、チームはばらばらになった。
  ★「まちまち」はみんな違う様子。「ばらばら」はまとまりがない様子。

- 莫大（な）　例　莫大な財産／損害／費用
  膨大（な）　例　膨大な資料／時間／数／努力
  巨大（な）　例　巨大な船／生物／穴／企業
  ★「莫大」は単に「この上なく大きい・多いこと」を表し、「膨大」は「膨れ上がってこれだけの量になる」というニュアンスが特徴的。ともに数量や程度の大きさを表すので、かなり重なる。「巨大」は具体的な物の大きさを表す。

- つまらない
  　例　仕事がつまらない。／彼の話はいつもつまらない。／つまらないミス／つまらないものですが、お一つどうぞ。（「くだらないものですが…」は×）
  くだらない
  　例　くだらない番組／そういうくだらない話には付き合っていられない。
  ★「つまらない」は「面白くない、満足させるようなものでない」、「くだらない」は「内容に乏しい、レベルが低い」が特徴的。

副詞

- 元来　例　元来、彼は無口な人間だ。
  そもそも　例　そもそも彼女はここに来るべきではなかった。
  ★「そもそも」は最初に戻って問題を示すときに使われる。

- とっさに　例　飛んできたボールをとっさによけた。
  さっと　例　名前を呼ばれ、その子はさっと立ち上がった。
  ★「とっさに」は反射的（reflexively／反射／반사적으로）に行う動作に使われる。「さっと」は動きが速く、瞬間的である様子。

試験に出る 重要語句・文型リスト

- □ 丸ごと　例 トマトを一個、丸ごと食べた。
  丸々　例 昨日は丸々一日寝てしまった。
  ★「丸ごと」は物などを分割したりしない、そのままの様子を表す。

- □ すんなり　例 代表選手はすんなり決まった。
  あっさり　例 犯人はあっさり罪を認めた。
  ★「あっさり」は人の行動の様子を表す。

- □ 潔く　例 彼は潔く負けを認めた。
  きっぱり（と）　例 彼の頼みはきっぱり断った。
  ★「潔く」は「（迷いや後悔などなく）気持ちが整理され、思い切りがいい様子」。それが好感を与えることを含む。「きっぱり」は「態度をはっきり示す様子」を表し、断ったり関係を切ったりするときによく使われる。

- □ やんわり（と）　例 やんわりと彼女に注意しておいた。
  遠回しに　例 彼女は遠回しに同僚の悪口を言っていた。
  それとなく　例 食事に誘われたが、それとなく断った。
  ★「やんわり」はやさしく言う様子。「遠回し」は間接的に言う様子。「それとなく」ははっきりではなく目立たないように言うこと。

- □ ついに　例 ついに、N1に合格しました。
  とうとう　例 なんとか使っていましたが、とうとう壊れてしまいました。
  ★「ついに」は、「最終的に何かが実現した」という意味。「とうとう」は「単に長い時間がかかった後、ある結果となった」という意味。

- □ いずれ　例 急がなくても、いずれ結果はわかるよ。
  やがて　例 日本に来てから、やがて3年になります。
  ★「やがて」は、そのことが確実に起こるだろうと思われるときに使う。「いずれ」は「やがて」より時期があいまい。

- □ せめて　例 せめて理由だけでも聞かせてください。
  少なくとも　例 少なくとも、失敗だけはしないようにしたいと思う。
  ★「せめて」は最低限期待する状況を述べるときに使う。「少なくとも」は、最低限の数や状態などを述べる。

- □ とても　例 私には、とてもできそうにありません。
  とうてい　例 今から家を出ても、とうてい間に合わないと思う。
  ★「とうてい」は「〜ない」という否定表現としか使われない。

- □ まるで　例 その人形は、まるで生きているかのようだった。
  いかにも　例 きょろきょろしていて、いかにも観光客のようだった。
  さも　例 さも詳しいかのように言ったけれど、本当はよく知らないんです。
  あたかも　例 あたかもそこに誰かがいるように、彼は話し続けた。
  さながら　例 彼女が泳ぐ様子は、さながら魚のようだった。
  ★「いかにも」は、「どう見ても、明らかに」というニュアンスがある。「あたかも」「さながら」は、書き言葉で使われる事が多い。

文法　しっかり押さえておきたい頻出文型70

□ **〜きわまりない**
例 遅れて来た上に名前を間違えるとは、失礼**極まりない**。
「この上なく〜／非常に〜」という意味。「限りないほどだ」と、あきれた気持ちを強く込めた表現。

□ **〜ざるを得ない／なかった**
例 けがの回復が遅れている以上、次の試合への出場はあきらめ**ざるを得ない**。
「〜たくないが、事情があってしかたなく〜なければならない」という意味。

□ **〜始末だ**
例 彼女はまた会議に遅刻した上に、配布資料を忘れてくる**始末だ**。
「（最後には）〜という悪い状況にいたる」という意味。前には「困ったりあきれたりする状況や事態」が来る。

□ **〜とみるや**
例 あのレストランは客が金持ち**とみるや**、高いワインばかりを勧めてくる。
「〜であることがわかると（それをいい機会ととらえて）」という意味。後には「素早い行動や積極的な様子を著す内容」が来る。

□ **〜(の)にひきかえ**
例 無口な兄**にひきかえ**、弟は社交的だ。
「〜とは反対に」という意味。対照的な評価を表す。

□ **〜にもまして**
例 昨年**にもまして**猛暑日が続き、水不足が深刻になっている。
「〜よりさらに」という意味。程度がさらに増すことを表す。

□ **〜ばかりに**
例 はっきり「ノー」と言わなかった**ばかりに**、彼女はまた面倒な仕事を押し付けられた。
「Aばかりに B」の形で、「Aが原因で、Bという悪い結果になった」という意味。

□ **〜までもない**
例 富士山が日本人にとって特別な存在であることは言う**までもない**。
「当然〜する必要はない」という意味。

□ **〜をもって**
例 (1) コンクールへのご応募は、本日**をもって**締め切らせていただきました。
(2) 今回の検査結果**をもって**、商品の安全性が保証された。
(1)「〜で、〜を区切りとして」という意味で、時間的な基準を表す。
(2)「〜で、〜によって」という意味。方法や基準を表す。

□ **〜をものとも（しない／せず）**
例 周囲の反対**をものともせず**、彼は会社を辞めて新しい事業を始めた。
「〜を問題にもしないで、〜を少しも恐れないで」という意味。困難を前に、少しも弱気になっていない様子を表す。

試験に出る 重要語句・文型リスト

□ **〜とは**
例 入社式に遅刻するとは、あきれたやつだ。
「〜なんて」という意味で、予想外のことへの驚きや感嘆を表す。

□ **〜ともなると**
例 この動物園は、平日は人が少ないけど、休日ともなるとかなり混む。
「〜という場合になると」という意味。後に「当然と思われること」が来る。

□ **〜なくして(は)…ない**
例 彼なくして、今回の優勝はなかった。／努力なくして、成功なし。
「AなくしてBない」の形で、「Aがなかったら、B(の成立)はない」という意味。前には「大事なこと・もの」が来る。

□ **〜はおろか**
例 彼の鉄道マニアぶりはすごくて、奥さんはおろか、子どもにまであきれられている。
「〜はもちろん」「〜は当然だが、それだけでなく」という意味。

□ **〜うにも…ない**
例 あまりに散らかっているので、片づけようにも、どこから片づけていいか、わからない。
「〜したいと思っているが、この状況ではできない」ということを表す。意志的な行為を表す動詞に付き、後で同じ動詞の否定形を続ける形が多い。

□ **〜がさいご**
例 こんな貴重な機会は、一度逃したが最後、二度とないだろう。
「〜たら、もうだめだ」という意味で、「そうなったら、もう元には戻せない」という見方を表す。後には「必ずそうなると予想される事柄」が来る。

□ **〜からある**
例 身長２メートルからある大男が、突然、目の前に現れた。
「〜か、それ以上もある」という意味で、とても大きいことを強調する。前には「具体的な数量を表す語」が来る。

□ **〜をかわきりに(して)**
例 選挙に向けて、田中代表は、東京を皮切りに日本全国を演説して回る予定だ。
「〜をその始まりとして」という意味。前には「物事が行われる場所」などが来る。

□ **〜こととて**
例 小さい子どもがやったこととて、今回はどうか許していただけませんか。
「〜(な)ので」の堅い言い方。何か困難な状況を説明する場合が多い。

□ **〜ずくめ(だ／の)**
例 学生寮に入った最初の頃は、規則ずくめの生活にストレスがたまった。／バンドのメンバーは、皆、黒ずくめの服を着ていた。
「〜ばかりである、一面〜だ」という意味。

～そばから

例 部屋を片付けたそばから子どもたちに散らかされた。

「～しても、すぐに」という意味。「AそばからB」のBは、Aの効果をマイナスするもの。

～にたえる／ない

例 悪口の言い合いはどんどんエスカレートして、聞くに堪えなかった。

「(あまりにひどくて)～することができない」という意味。

～ては

例 (1) あの人は、お店に来ては、いつもカウンターの端に座ってビールを注文する。
(2) 彼女に手紙を送ろうと、書いては消し、書いては消しているうちに朝になってしまった。

(1)「～するといつも」「～したら必ず」という意味。同じ行動パターンを繰り返している様子を表す。
(2)「AてはB、AてはB」の形で、「AしてBして、AしてBして」という意味。同じ動作を繰り返している様子を表す。

～とあいまって

例 その旅館は、古い建物と森の中という立地があいまって、非常に落ち着いた雰囲気が感じられた。

「～と一緒になって」という意味。「一緒になることでさらに効果が高まる」ことを表す。

～といい…といい

例 このソファーは価格といい品質といい、申し分ない。

「～も…も」という意味で、同じ特徴を持つ二つを取り上げて強調する。

～とばかりに

例 円高の今がチャンスとばかりに、多くの日本人が海外旅行に行っている。

「実際は違うが、いかにも～という様子で」という意味。

～ともなく

例 夜になって、どこからともなく虫の声が聞こえると、秋の訪れを感じる。

「特に～というのではなく」という意味。疑問詞に付く形が多い。

～ともなれば

例 小学生ともなれば、身の回りのことはほとんど自分でできるようになる。

「～という段階や状況になれば」という意味。後には「当然と思われる事柄」が来る。

～ながら(も)

例 私の両親は、裕福ではないながらも、幸せに暮らしている。

「～という状況だが、それでも」という意味。「AながらB」のBは、Aと対照的な内容であることが多い。

～ならでは

例 エレベーターの中に案内係を置くのは、日本ならではのサービスのようだ。

「～だから可能」という意味。「さすが～だ」と感心する気持ちも含む。

～にあって(は／も)

例 知らない土地にあっては、食事をする店を探すだけでも一苦労だ。／どんなつらいときにあっても、この仕事だけは続けてきました。

「～で」「～では」などの意味で、自分が置かれている場所や状況を表す。

試験に出る 重要語句・文型リスト

- **〜に即して／〜に即した**
  - 例 事故については、事実に即して正確に警察に説明しました。
  - 「〜に合わせて」「〜に合うように」という意味。前には「判断や行動の基準になるもの」が来る。

- **〜わけで(は／も)ない**
  - 例 このレストランはいつも混んでいるが、だからといって特別においしいわけでもない。
  - 「必ず／特に〜ということではない」などの意味。当然に結論づけられるのを打ち消す表現。

- **〜をかぎりに**
  - 例 私達のチームは、今回の試合を限りに解散することになりました。
  - 「〜を最後にして」「〜を区切りとして」という意味。

- **〜をかわきりに**
  - 例 彼は、東京での成功を皮切りに、事業を拡大し、昨年はついに海外にまで進出した。
  - 「〜を始まりとして」の意味。一定期間続けて行われることの、開始の時期や場所を示す表現。

- **〜をふまえて**
  - 例 先ほどの鈴木さんからの報告を踏まえて、話し合いを進めたいと思います。
  - 「〜を前提に、〜を参考に、〜を理解したうえで」などの意味。後には「判断や行動」が述べられる。

- **〜たりとも**
  - 例 入学試験まであと2カ月しかないから、一日たりとも休むことはできない。
  - 「たとえ〜であっても…ない」という意味で、「最少の量でも許されない」ことを表す。前には「一日、一円、一滴」などの「最少を表す語」が来る。

- **〜といったら**
  - 例 初孫を抱いた時の父の嬉しそうな顔といったらなかった。
  - 「〜は、〜というものは」という意味で、驚きや感動を表す。前には「〜さ」(例 悔しさ)や「〜こと」(例 悔しいこと)などが来ることが多い。

- **〜にしては**
  - 例 初めてにしては上手く滑っていたと、スキーのインストラクターにほめられた。
  - 「これまでの〜というイメージとは違って」という意味。思っていたより結果が良かったときの意外な気持ちを表す。

- **〜べからず**
  - 例 (工事現場の張り紙)「関係者以外立ち入るべからず」
  - 「〜てはいけない」という意味で、禁止の意味を表す。

- **〜としたら**
  - 例 本当に覚えていないんだとしたら、人の話を全然聞いてなかったということじゃないか。
  - 「〜というような状況なら」という意味。「〜の／んだとしたら」の形で使われることが多い。

文法

□ **〜あっての**
例 こんな素晴らしい賞をいただけるのも、皆さんのご協力が**あっての**ことです。
「Aという存在があって初めてB（の成立）がある」という意味。前には「重要で、欠かすことのできないもの」が来る。

□ **〜あまり**
例 検査の結果を心配する**あまり**、食事がのどを通らなくなってしまった。
「あまりに〜する結果」という意味で、後に「普通でないこと」が述べられる。

□ **〜といえども**
例 親子**といえども**、理解し合えないこともある。
「たとえ〜でも」という意味。「〜の場合でも状況や判断が変わらない」ことを表す。

□ **〜いじょう（は）**
例 試合に出る**以上**、1点でも多く得点してチームに貢献したい。
「〜という状況だから、当然〜」という意味を表す。

□ **〜うえ（に）**
例 この道は狭い**上に**見通しも悪く、事故が起こりがちだ。
「〜だけでなく、さらに」という意味を表す。

□ **（〜か）と思いきや**
例 今日は寒くなる**と思いきや**、半そでで過ごせるぐらいの気温であった。
「〜と思っていたら、実際は違った」という意外な気持ちを表す。

□ **〜か否か**
例 その計画が実現可能**か否か**、もう一度よく考えたほうがいい。
「〜かそうでないのか」という意味。

□ **〜を／もかえりみず**
例 危険**もかえりみず**、彼女は川に落ちた子どもを助けようと水の中に飛び込んだ。
「〜を考えないで」「〜を気にかけないで」という意味。

□ **〜が欠かせない**
例 私は寒いのが苦手なので、冬はマフラー**が欠かせません**。
「〜を欠くことはできない」「〜なしではいられない」という意味。

□ **〜かぎり**
例 私が聞いた**限り**では、社長は週明けに出張から戻ってくるとのことです。
「〜範囲では、〜のは」という意味。「〜」には「見る、聞く、知る」が来ることが多い（例 私が知っている限りでは…）。

□ **〜がたい**
例 信じ**がたい**ことだが、彼の言っていることは本当のようだ。
「〜ようとしても〜できない」という意味。

□ **〜かたがた**
例 お世話になった山本さんを、お礼**かたがた**夕食に招待することにした。
「〜のついでに、〜の機会をとらえて一緒に」という意味。一つの機会に二つのことを同時にすることを表す。形式的な表現で、手紙などの挨拶文によく使われる。

試験に出る 重要語句・文型リスト

□ ～がてら
例 買い物**がてら**、家の近所を散歩した。
「～（の）ついでに、～を兼ねて」という意味を表す。会話でよく使われる。

□ ～にかなう
例 (1) 彼は期待**にかなった**いい選手だ。
(2) 彼の練習方法は理**にかなっている**（＝合理的だ、理屈に合っている）。
「～によく合っている」という意味。「～」には条件や基準になるものが来る。目的、理想、期待など。

□ ～かのように
例 彼女もそのことを知っているはずなのに、何も知らない**かのように**ふるまっていた。
「（実際は～ではないが）まるで～のように」という意味。

□ ～からというもの
例 彼は転勤して**からというもの**かなり忙しいようで、連絡がとりにくくなった。
「～後はずっと」という意味。「～する前とは全く違う状態が続いている」ので、「話し手の驚きや意外だという気持ち」が表される。

□ ～からなる
例 (1) 全15巻**からなる**歴史小説の大作が遂に完成した。
(2) 全員プロ選手**からなる**最強のチームができた。
(1)「～か、それ以上の」という意味。「～」には「具体的な数量を表す語」が来る。
(2)「～からできている」という意味。「～」には「材料や構成要素」が来る。

□ ～きらいがある
例 彼は、事がうまくいかなくなると、すぐ人に頼る**きらいがある**。
「～というあまり好ましくない傾向や性質がある」という意味。

□ ～きり
例 3年前に家を出た**きり**、息子からは一度も連絡がない。
「～したのが最後で」という意味で、「その後も状況が変わっていない」ことを表す。

□ ～極まる／極まりない
例 (1) こんな所に勝手にゴミを捨てて、迷惑**極まる**なあ。
(2) 台風が近づいているのに海に行くなんて、危険**極まりない**。／こんな初歩的なミスをするなんて、恥ずかしいこと、**極まりない**です。
どちらも「この上なく～、非常に～だ」という意味で、「ある状態や感情が最高のレベルに達する」ことを表す。「～こと」に続く場合は普通、「きわまりない」を使う。

□ ～しかない
例 (1) 彼女は親切でやったのかもしれないが、私にとっては迷惑**でしかない**。
(2) 財布を落としたのは、私の不注意だった**としか言いようがない**。
(1)「～だけでほかにはない」「～だけだ」という意味で、意志や判断を強調して言う表現。
(2) 他の可能性を否定して、それだけだと強く主張するのに用いる。

□ ～ずに(は)おかない

例 彼女のスピーチは、皆を感動させずにはおかなかった。

「自然に～てしまう」という意味。前には「強い感情」や「何か強い力」を表す内容が来る。

□ ～だけに

例 山下さんは昔教師だっただけに、人に教えるのが得意だ。

「～ということもあって当然／余計に／なおさら」という意味。文の前半には「現在に至るまでの状況や経験」などが来る。

□ ～だけまし

例 こんな古いエアコンでも、あるだけましだよ。

「あまりよくない状況だが、～ので最悪ではない。だからよかった」という意味。文の前半で「希望通りではない状況」を述べることが多い。

□ だって

例 (1) これぐらいの問題、6歳の子どもだってわかるよ。
(2) 誰にだって、欠点はある。

「～でも、～であっても」「～でさえ、～ですら」などの意味。
(1) 極端な例を出して、意味を強調する。
(2) 「誰(に)だって」の形で、「みんなそうだ」の意味を表す。

□ ～だの…だの

例 せっかく作ったのに、味がないだの、おいしくないだのと言って、ほとんど食べてくれなかった。

「～や…など」という意味で、例を挙げながら「いろいろだ」ということを表す。非難の意味を含む場合が多い。

□ ～がたより／～をたよりに

例 地図をたよりに、なんとか歩いて行ってみた。／日本での生活は、奨学金がたよりなんです。

「～の助けを借りて」という意味。

□ ～たるもの(は)

例 政治家たるもの(は)、自分の言葉には責任を持たなければならない。

「～という立場にある者は」という意味。後には、「そうあるべきと一般に考えられること」が述べられる。

□ ～っこない

例 こんなにたくさんの料理、一人で食べられっこないよ。

「絶対に～ない」という気持ちを表す。くだけた話しことば。

試験に出る 重要語句・文型リスト

文法 意味や機能が似ている表現

文末表現

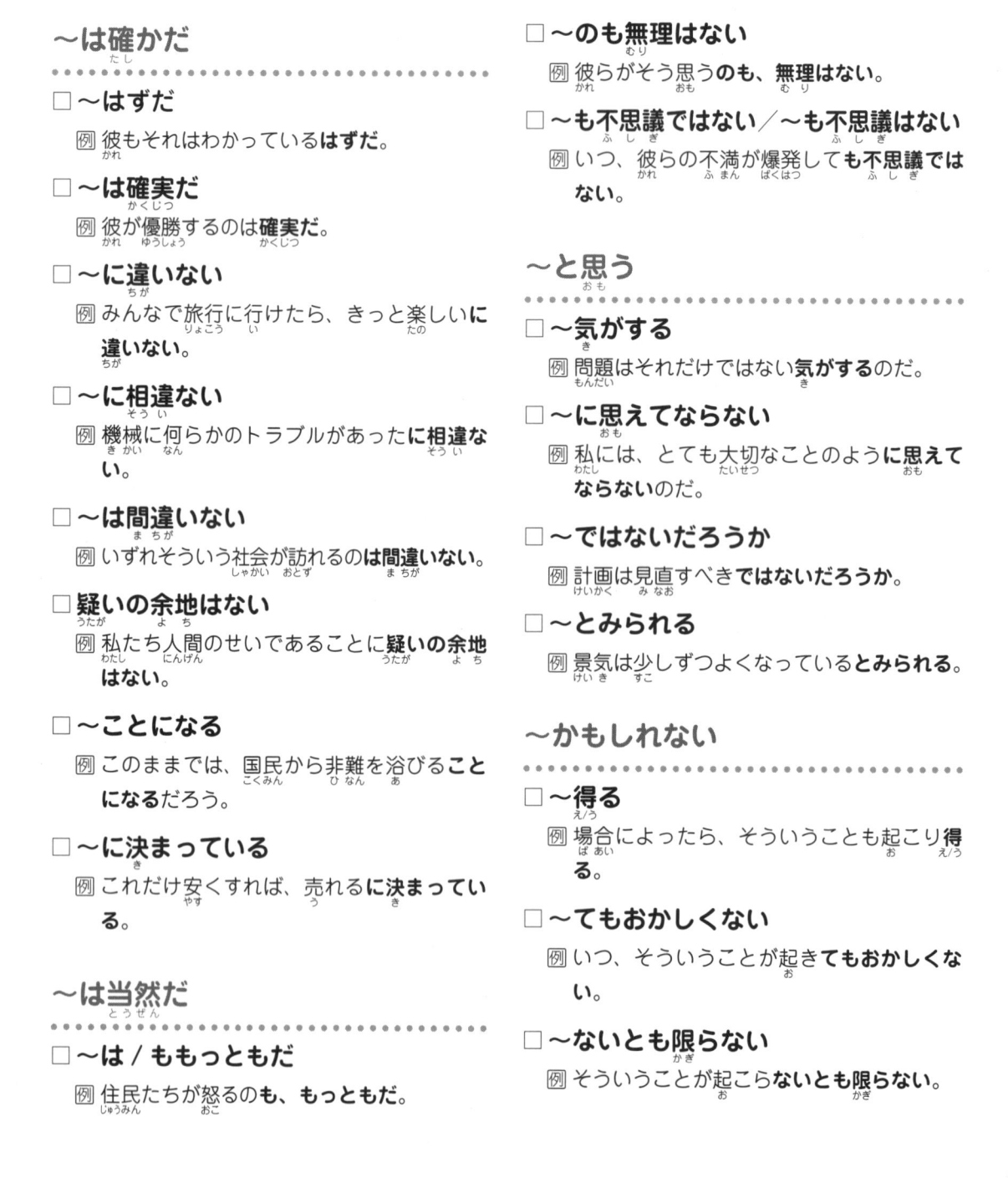

～は確かだ

- □ ～はずだ
  - 例 彼もそれはわかっている**はずだ**。

- □ ～は確実だ
  - 例 彼が優勝するのは**確実だ**。

- □ ～に違いない
  - 例 みんなで旅行に行けたら、きっと楽しい**に違いない**。

- □ ～に相違ない
  - 例 機械に何らかのトラブルがあった**に相違ない**。

- □ ～は間違いない
  - 例 いずれそういう社会が訪れるの**は間違いない**。

- □ 疑いの余地はない
  - 例 私たち人間のせいであることに**疑いの余地はない**。

- □ ～ことになる
  - 例 このままでは、国民から非難を浴びる**ことになる**だろう。

- □ ～に決まっている
  - 例 これだけ安くすれば、売れる**に決まっている**。

～は当然だ

- □ ～は／ももっともだ
  - 例 住民たちが怒るの**も、もっともだ**。

- □ ～のも無理はない
  - 例 彼らがそう思う**のも、無理はない**。

- □ ～も不思議ではない／～も不思議はない
  - 例 いつ、彼らの不満が爆発して**も不思議ではない**。

～と思う

- □ ～気がする
  - 例 問題はそれだけではない**気がする**のだ。

- □ ～に思えてならない
  - 例 私には、とても大切なことのように**思えてならない**のだ。

- □ ～ではないだろうか
  - 例 計画は見直すべき**ではないだろうか**。

- □ ～とみられる
  - 例 景気は少しずつよくなっている**とみられる**。

～かもしれない

- □ ～得る
  - 例 場合によったら、そういうことも起こり**得／う**る。

- □ ～てもおかしくない
  - 例 いつ、そういうことが起き**てもおかしくない**。

- □ ～ないとも限らない
  - 例 そういうことが起こら**ないとも限らない**。

～できない

- **～しかねる**
  - 例 そういうやり方には賛成**しかねる**。
- **～しがたい**
  - 例 いまだにそんなことを言うなんて、理解**しがたい**。
- **～とはいえない**
  - 例 これだけでは健康に効果がある**とはいえない**。

～べきだ

- **～しかない**
  - 例 素直にミスを認め、謝る**しかない**。
- **～よりほかない**
  - 例 こうなった以上、あきらめる**よりほかない**。

～ものだ

- **（感嘆・強調）**
  - 例 この街も、ずいぶん便利になった**ものだ**。／ばかなことをした**ものだ**。
- **（回想）**
  - 例 昔はよくここで遊んだ**ものだ**。
- **（当然）**
  - 例 そういうきちんとした場所にはスーツを着ていく**ものだ**。
- **（本来の性質）**
  - 例 機械は壊れる**ものだ**。

～ない（部分否定）

- **～とは限らない**
  - 例 先生の言うことが常に正しい**とは限らない**。
- **～というわけではない**
  - 例 彼のことは昔からよく知っているけど、友達**というわけではない**。
- **～わけがない**
  - 例 練習もせずに、勝てる**わけがない**。
- **…定かではない**
  - 例 本当かどうか、**定かではない**。

否定表現

全く～ない

- **まるで～ない**
  - 例 レポートの締め切りは明後日なのに、**まるで**進ん**でない**。
- **ちっとも～ない**
  - 例 いくら説明してもらっても、**ちっとも**わからない。
- **何も～ない**
  - 例 彼女が悩んでいても、私には**何も**してあげられ**ない**。

決して～ない

- 例 今回不合格でも、**決して**あきらめません。

とうてい～ない

- 例 こんな安い金額では、**とうてい**納得でき**ない**。

断じて～ない

- 例 彼が人の物を盗むなんて、**断じてない**と思う。

さらさらない

- 例 ほかのチームに行くなんて気持ちは**さらさらない**。

試験に出る 重要語句・文型リスト

- ☐ **間違っても〜ない**
  例 **間違っても**、彼と結婚するようなことは**ない**。
- ☐ **毛頭ない**
  例 あなたを傷つけるつもりなど、**毛頭ありませんでした**。
- ☐ **〜っこない**
  例 今家を出たって、間に合い**っこない**よ。
- ☐ **どうにも〜ない**
  例 なぜ社長はこんな仕事を引き受けたのか、**どうにも**理解でき**ない**。

なかなか〜ない

- ☐ **めったに〜ない**
  例 お金に余裕がないので、こういう店には**めったに**来られ**ません**。
- ☐ **そうそう〜ない**
  例 プロの選手と話す機会なんて、**そうそうない**ことです。

まだ〜ない

- ☐ **依然として〜ない**
  例 **依然として**、彼の行方はわから**ない**。
- ☐ **いまだに〜ない**
  例 10年以上たつのに、この問題は**いまだに**解決されて**いない**。
- ☐ **今なお〜ない**
  例 あの時、祖父が何を言いたかったのか、**今なお**わかり**ません**。

そんなに〜ない

- ☐ **大して〜ない**
  例 今から急いだところで、**大して**変わり**ません**。
- ☐ **思ったほど〜ない**
  例 日曜だけど、**思ったほど**人は多く**ない**ね。
- ☐ **さほど / それほど〜ない**
  例 有名なお店だけど、値段は**さほど**高く**なかった**。

〜かもしれない

- ☐ **〜ないとも限らない**
  例 そんなことを言って、相手を怒らせ**ないとも限らない**よ。
- ☐ **〜ないこともない**
  例 急いで行けば、間に合わ**ないこともない**。
- ☐ **〜ないわけでもない**
  例 そんなに言うなら、手伝わ**ないわけでもない**けど。
- ☐ **〜なくはない / なくもない**
  例 忙しいけど、でき**なくはない**。

〜とはいえない

- ☐ **一概に〜ない**
  例 確かにそういう例は多いけど、**一概には**言え**ない**と思う。
- ☐ **〜というものでもない**
  例 自分ができるからと言って、ほかの人もできる**というものでもない**よ。
- ☐ **〜(という)わけではない**
  例 今日買いに行っても、すぐに手に入る**わけではありません**。
- ☐ **〜とは限らない**
  例 面接でうまく話せなかったからといって、不合格**とは限らない**よ。

その他 ― 否定詞「ない」を含む表現

□ **〜すらない**
　例 疲れきって、もう歩く元気**すらない**。

□ **〜さえない**
　例 彼女とは会ったこと**さえ**ありません。

□ **〜(より)ほか(は)ない**
　例 両親がだめだと言うなら、あきらめる**よりほかない**。

□ **〜しかない**
　例 直接会って話し合う**しかない**。

□ **〜ざるを得ない**
　例 そういう事情なら、やら**ざるを得ません**ね。

□ **あえて〜ない**
　例 本人ももうわかってるだろうから、**あえて**言う必要は**ない**よ。

□ **無理に〜ない**
　例 忙しければ、**無理に**出席することは**ありません**。

□ **〜といったらない**
　例 彼女の美しさ**といったらない**。

□ **〜て(も)さしつかえない**
　例 田中さんになら、教え**ても差し支えない**と思います。

□ **〜くもなんともない**
　例 ほめられたって、嬉し**くもなんともない**。

□ **〜ずにはいられない**
　例 この曲を聞くと、その当時のことを思い出さ**ずにはいられない**。

□ **〜どころではない**
　例 仕事が忙しくて、旅行**どころじゃない**。

□ **〜てばかりもいられない**
　例 仕事がたまってるから、休ん**でばかりもいられない**。

□ **〜てたまらない**
　例 もう暑く**てたまらない**。エアコンをつけよう。

□ **〜てならない**
　例 聞けば聞くほど、そういうふうに思え**てならない**。

□ **〜ないことには〜ない**
　例 勉強し**ないことには**、合格でき**ない**よ。

□ **〜にこしたことはない**
　例 試験に出るかどうかわからないけど、勉強しておく**に越したことはない**。

□ **〜ようがない**
　例 そのことについては何も知らないので、私には答え**ようがない**。

□ **〜わけにはいかない**
　例 大事な問題なので、放っておく**わけにはいかない**。

試験に出る 重要語句・文型リスト

読解 読解問題に出るキーワード

教育・研究

- 概念（がいねん） concept ／概念／개념
- 仮説（かせつ） hypothesis ／假说／가설
- 課題（かだい） task, assignment ／课题／과제
- 参照（する）（さんしょう） consultation, reference ／参照／참조
- 主張（する）（しゅちょう） affirmation ／主张／주장
- 知性（ちせい） intelligence ／知性／지성
- 知的（な）（ちてき） intelligent ／智慧的／지적
- 抽象的（な）（ちゅうしょうてき） abstract ／抽象／추상
- 定義（する）（ていぎ） definition ／定义／정의
- 養成（する）（ようせい） training ／培养／양성
- 要約（する）（ようやく） summary ／摘要／요약
- 論理（ろんり） logic ／逻辑／논리

文化・芸術

- 意図（する）（いと） intention ／意图／의도
- 映像（えいぞう） image, video picture ／映像／영상
- 演じる（えん） act, play ／表演／연기하다
- 掲載（する）（けいさい） to run, publish (an article, etc.) ／刊登／게재
- コンテンツ content ／内容／콘텐츠
- シナリオ scenario ／剧本／시나리오
- 芝居（しばい） play, theater ／戏剧／연기
- 主題（しゅだい） theme, subject ／主题／주제
- せりふ dialogue, line ／台词／대사
- 著書（ちょしょ） one's(the author's) book ／著作／저서
- ニュアンス nuance ／语感／뉘앙스
- 美術（びじゅつ） art ／美术／미술
- 描写（する）（びょうしゃ） description ／描写／묘사

国・地方・政治

- 改革（する）（かいかく） reform ／改革／개혁
- 官僚（かんりょう） bureaucrat ／官僚／관료
- 協議（する）（きょうぎ） consultation, discussion ／协议／협의
- 国土（こくど） national land ／国土／국토
- 参政権（さんせいけん） suffrage ／参政权／참정권
- 支配（する）（しはい） dominance, control ／统治／지배
- 首脳（しゅのう） summit, head of a state ／首脑／수뇌
- 情勢（じょうせい） situation, lie of the land ／局势／정세
- 条約（じょうやく） treaty ／条约／조약
- 親善（しんぜん） goodwill, friendliness ／友好／친선
- 衰退（する）（すいたい） declination, fall ／衰退／쇠퇴
- 政権（せいけん） administration ／政权／정권
- 政策（せいさく） policy ／政策／정책
- 体制（たいせい） system, framework ／体制／체제
- 治安（ちあん） security, public safety ／治安／치안
- 秩序（ちつじょ） order, establishment ／秩序／질서
- 独裁（どくさい） autocracy ／独裁／독재
- 内閣（ないかく） cabinet ／内阁／내각
- 難民（なんみん） refugee ／难民／난민
- 繁栄（する）（はんえい） prosperity ／繁荣／번영
- 発展途上国（はってんとじょうこく） developing country ／发展中国家／개발도상국
- 表明（する）（ひょうめい） to express, pronouncement ／表明／표명
- 紛争（ふんそう） conflict ／纷争／분쟁
- 弊害（へいがい） harmful effect ／弊病／폐해
- 方針（ほうしん） policy, principle ／方针／방침
- 保守的（な）（ほしゅてき） conservative ／保守／보수
- マスコミ mass communication ／新闻媒体／매스컴

112

☐ メディア	media ／媒体／미디어	
☐ 世論	public opinion ／舆论／여론	
☐ 領土	territory ／领土／영토	

法律・行政

☐ 改定(する)	revision ／修改／개정
☐ 裁判員	citizen judge ／裁员／재판원
☐ 裁く	judge ／裁判／심판하다
☐ 詐欺	fraud ／诈骗／사기
☐ 死刑	the death penalty ／死刑／사형
☐ 施行(する)	enforcement ／施行／시행
☐ 自治体	local government ／自治体／자치 단체
☐ 条例	ordinance ／条例／조례
☐ 制定(する)	constitution ／制定／제정
☐ 整備(する)	maintenance, keeping up ／完善／정비
☐ 訴訟(する)	case, suit at law ／诉讼／소송
☐ 損害	damage ／损害／손해
☐ 追及(する)	investigation ／追究／추궁
☐ 償う	make up ／赔偿／배상하다
☐ 取り締まる	clamp down ／管制、管理／단속하다
☐ 廃止(する)	abolition ／废止／폐지
☐ 賠償(する)	compensation ／赔偿／배상
☐ 判決(する)	decision, judgment ／判决／판결
☐ 弁護士	lawyer ／律师／변호사
☐ 法廷	court ／法庭／법정
☐ 保障(する)	indemnity ／保障／보장
☐ 無罪	innocence ／无罪／무죄
☐ 免除(する)	exemption ／免除／면제
☐ 有罪	guiltiness ／有罪／유죄

経済

☐ 緩和(する)	relax ／缓和／완화
☐ 均衡(する)	balance ／均衡／균형
☐ 雇用(する)	employment ／雇用／고용
☐ 財政	finance ／财政／재정
☐ 自給率	self-sufficiency ratio ／自给自足率／자급률
☐ 資産	property ／资产／자산
☐ 失業(する)	unemployment ／失业／실업
☐ 収支	balance of payments ／收支／수지
☐ 戦略	strategy ／战略／전략
☐ 低迷(する)	stagnation ／低迷／침체 상태
☐ 動向	trend ／动向／동향
☐ 投資(する)	investment ／投资／투자
☐ 負債	debt ／负债／부채
☐ リスク	risk ／风险／리스크
☐ リストラ	事業を整理したり人を減らしたりして会社を建て直すこと。英 restructuring から。

技術・産業

☐ アナログ	（時間や温度など）連続的に変化するものの量を、他の連続するもの（時計や温度計）で表すこと。「デジタル」と対比的に使われることが多い。
☐ 遺伝子	gene ／遗传基因／유전자
☐ 加工(する)	processing ／加工／가공
☐ 画期的(な)	revolutionary ／划时代的／획기적
☐ 原子力発電	nuclear electric power generation ／核能发电／원자력발전
☐ コントロール	control ／控制／컨트롤
☐ 産出(する)	production ／生产／산출
☐ 仕組み	mechanism, structure ／构造／사물의 구조
☐ 従事(する)	engage ／从事／종사
☐ 省エネルギー	energy conservation ／省能源／에너지 절약
☐ 精密(な)	precise ／精密／정밀
☐ 先端技術	advanced technology ／尖端技术／첨단 기술

試験に出る 重要語句・文型リスト

- 携わる　engage in ／従事／종사하다
- テクノロジー　technology ／技術／테크놀로지
- デジタル　digital ／数字、数码／디지털
- 放射能　radiation ／核能／방사능
- 流通(する)　circulation ／流通／유통
- 領域　field, region ／領域／영역

自然・環境

- エコ（エコロジー）　資源の浪費を抑えるなど、環境にいいことを心がけようという働き。
- 雄　male ／雄性／수컷
- 危機　crisis ／危机／위기
- 希少(な)　rare ／稀少的／희소한
- 共存(する)　coexistence ／共存／공존
- クールビズ　夏にエアコンなどをできるだけ使わないようにするため、ネクタイをしない、ジャケットを着ないなど、軽い服装で仕事をすること。
- 細胞　cell ／細胞／세포
- 飼育(する)　breeding ／饲养／사육
- 弱肉強食　law of the jungle ／弱肉强食／약육강식
- 進化(する)　evolution ／进化／진화
- 生態系　ecosystem ／生态系／생태계
- 絶滅(する)　extinction ／灭绝／절멸
- 退化(する)　degeneration ／退化／퇴화
- 多様性　diversity ／多様性／다양성
- 津波　tsunami ／海啸／해일
- 二酸化炭素　carbon dioxide ／二氧化碳／이산화탄소
- 排気ガス　exhaust gas ／汽车尾气／배기가스
- 伐採(する)　tree trimming ／采伐／벌채
- 繁殖(する)　reproduction ／繁殖／번식
- 被害　damage ／受害／피해
- 被災(する)　affected ／受灾／재해를 입음
- ひな　chick ／雏鸟／새끼 새
- 避難(する)　evacuation ／避难／피난
- ふ化(する)　hatch ／孵化／부화
- ほ乳類　mammal ／哺乳类／포유류
- 雌　female ／雌性／암컷

健康・医療

- 安静　bed rest ／安静／안정
- 衰える　decline, fail ／衰退／쇠약해지다
- 過労　overwork ／过于疲劳／과로
- 感染(する)　infection ／感染／감염
- 細菌　bacteria ／细菌／세균
- 脂肪　fat ／脂肪／지방
- 消化(する)　digestion ／消化／소화
- 尊厳　dignity ／尊严／존엄
- 体調　physical shape ／健康状况／컨디션
- 体力　physical strength ／体力／체력
- バリアフリー　障害者や高齢者などの生活の妨げとなるものを取り除き、生活しやすくすること。
- 疲労(する)　fatigue ／疲劳／피로
- 福祉　public welfare ／福利／복지
- 保険　insurance, hedge ／保险／보험
- 免疫　immunity ／免疫／면역
- 老衰(する)　decrepitude ／衰老／노쇠

文明・歴史

- 遺跡　ruin, remains ／遗迹／유적
- 革命　revolution ／革命／혁명
- 植民地　colony ／殖民地／식민지
- 侵略(する)　invasion, incursion ／侵略／침략
- 宣言(する)　declarative ／宣言／선언
- 伝来(する)　to be introduced, arrival ／传来／전래
- 同盟(する)　alliance ／同盟／동맹
- 反乱(する)　revolt, rebellion ／叛乱／반란
- 冷戦　cold war ／冷战／냉전

生活・社会

- □ 育児休暇　childcare leave ／育儿休假／육아휴가
- □ 高齢化　社会の中で、お年寄りの割合が増えていくこと。고령화
- □ 出生率　birthrate ／出生率／출생률
- □ 少子化　生まれる子どもの数が減り、社会全体の子どもの人数が少なくなること。
- □ 晩婚化　結婚の平均年齢が以前より高くなること。
- □ 家計　household budget ／家庭收支状况／가계
- □ 所得　income ／收入／소득
- □ 専業主婦　外に仕事を持たない主婦。
- □ 共働き　夫と妻、どちらも仕事をしている家庭。
- □ 介護(する)　care, nursing care ／护理／병간호
- □ 在宅サービス　home-based service ／家庭看护服务／재택 서비스
- □ シニア　お年寄り。特に、定年後の人を指して言うことが多い。
- □ 老後　年をとった後。定年後、60歳～亡くなるまでのことをイメージしていることが多い。
- □ いじめ　学校のクラス内などで、特定の相手に嫌がらせを続けること。／欺侮、欺负／괴롭힘
- □ 格差　gap, disparity ／差別／격차
- □ 虐待(する)　abuse, mistreat ／虐待／학대
- □ サイト　site ／网页／사이트
- □ ニート　日本では、15～34歳の年齢層から学生と専業主婦を除き、仕事をせず、求職活動もしていない者のことを指す。
- □ ネット社会　皆が気軽にインターネットを使え、そこから情報を得ることができるようになった社会。
- □ 年金　pension ／养老金／연금
- □ 派遣(する)　正社員でなく、人を派遣する会社を通して、派遣された先の会社で仕事をすること。
- □ 引きこもり　長期間にわたって自分の家や部屋にとじこもり、社会活動に参加しないこと。
- □ 非正規雇用　派遣社員や契約社員など、正社員ではない雇用のこと。
- □ 貧困　poverty ／贫困／빈곤
- □ 不況　recession ／不景气／불황
- □ フリーター　アルバイトやパートなどで収入を得て、生活している人のこと。

聴解　聴解問題に出るキーワード

大学・学校

- □ 前期　previous term ／前期／전기
  - 例 前期の授業
- □ 後期　latter term ／后期／후반기
  - 例 後期の授業
- □ 講義　lecture ／讲义／강의
  - 例 経済学の講義
- □ サークル　circle ／俱乐部／서클
  - 例 テニスサークル
- □ 実習(する)　practice, practical training ／実習／실습　例 企業で実習する
- □ 締切　deadline ／截止日期／마감
  - 例 締切に間に合う
- □ 就職活動　job hunting ／就职活动／취직활동
  - 例 就職活動で忙しい
- □ 奨学金　scholarship money ／奨学金／장학금　例 奨学金を受け取る
- □ 進学(する)　to go on to (college) ／升学／진학
  - 例 大学院に進学する
- □ 進路　career options ／去向／진로
  - 例 進路を決める
- □ 推薦(する)　recommendation ／推荐／추천
  - 例 推薦入学
- □ ゼミ　seminar ／讨论课／세미나(수업)
  - 例 ゼミで話し合う
- □ テーマ　subject ／主題／테마
  - 例 テーマを決める
- □ 寮　dormitory ／宿舍／기숙사
  - 例 寮に入る
- □ 期限　time limit, deadline ／期限／기한
  - 例 期限を守る
- □ 構成　composition ／结构／구성
  - 例 論文の構成
- □ 提出(する)　submission ／提出／제출
  - 例 レポートを提出する

- □ 発表(する)　presentation, announcement ／发表／발표　例 ゼミで発表する
- □ 論文　thesis, literature ／论文／논문
  - 例 論文を書き上げる

会社・職場

- □ 採用(する)　hiring ／录用／채용
  - 例 新入社員の採用
- □ 大手　big enterprises ／大型／큰 규모
  - 例 大手企業に就職する
- □ 中小企業　small and medium-sized enterprise ／中小企業／중소기업
  - 例 中小企業で働く
- □ 研修(する)　induction course ／研修／연수
  - 例 新入社員の研修
- □ 費用　cost ／費用／비용
  - 例 費用がかかる
- □ 発注(する)　order ／订货／발주(주문)
  - 例 商品を発注する
- □ クレーム　complaint ／索赔／클레임
  - 例 クレームに対応する
- □ 業績　performance ／业绩／업적
  - 例 業績が悪化する
- □ 得意先　client, customer ／客户／단골
  - 例 得意先に連絡する
- □ 書類　document ／文件／서류
  - 例 書類を整理する
- □ 履歴書　resume ／履歴表／이력서
  - 例 履歴書を送る
- □ 取引(する)　deal ／交易／거래
  - 例 A社と取引する
- □ 職場　office, workplace ／工作单位／직장　例 職場の雰囲気
- □ 企画書　proposal ／企划书／기획서
  - 例 企画書を作成する

- □ 至急 immediately／火速、赶快／지급（매우급함） 例 至急、連絡する
- □ 打ち合わせ meeting／协商／협의 例 A社との打ち合わせ
- □ 本店 central branch／总公司／본점 例 本店に連絡する
- □ 支店 branch／分公司／지점 例 新たに支店を設ける
- □ 店舗 store／店铺／점포 例 店舗数を増やす
- □ 出勤（する）to come to work／上班／출근 例 会社に出勤する
- □ コスト cost／成本／코스트 例 コストを削減する
- □ 折り返し by return／立刻、马上／받은 즉시 例 折り返し連絡する
- □ 転勤（する）job relocation, transfer／调动、调换工作／전근 例 海外に転勤する

役所・公共サービス

- □ 貸出 circulation／出借／대출 例 本の貸出
- □ 印鑑 personal seal／印章／인감, 도장 例 印鑑を押す
- □ 介護（する）nursing care, care／看护／간호 例 お年寄りを介護する
- □ 高齢者 elderly, aging／高龄老人／고령자 例 高齢者向けの商品
- □ 施設 facility／设施／시설 例 施設を利用する
- □ 展示（する）to display, to exhibit／展示／전시 例 資料を展示する
- □ 届け出る report ~ to, file ~ with／登记／신고하다 例 住所変更を届け出る
- □ バリアフリー barrier-free／无障碍设施／배리어프리 例 バリアフリーの住宅
- □ 福祉 welfare／福利／복지 例 福祉の充実を図る

- □ 返却（する）to return, to bring back／归还／반납 例 本を返却する

店・サービス

- □ 機能 function, faculties／功能、机能／기능 例 機能を重視する
- □ クーポン coupon／优惠券／쿠폰 例 クーポンを利用する
- □ 購入（する）to purchase／购入／구입 例 製品を購入する
- □ サポートセンター support center／保修中心／서포트센터 例 サポートセンターに電話する
- □ 仕入れる to purchase, to stock up／采购／사들이다 例 材料を仕入れる
- □ 修理（する）to repair／修理／수리 例 修理を頼む
- □ 請求（する）to bill, to charge／索取／청구 例 代金を請求する
- □ ツアー tour／短途旅行／투어 例 ツアーに参加する
- □ 半額 half price／半价／반액 例 料金が半額になる
- □ 保証書 warranty／保修单／보증서 例 保証書をなくす
- □ 無料 free of charge／免费／무료 例 無料で直す
- □ 予約（する）reservation／预约／예약 例 席を予約する
- □ 割引 discount／折扣／할인 例 割引価格

●移動

- □ 渋滞 traffic jam／堵塞／정체 例 道路が渋滞する
- □ 免許証 license／驾照／면허증 例 免許証を取得する

試験に出る 重要語句・文型リスト

- ☐ 交差点（こうさてん） intersection ／十字路口／교차점
  - 例 交差点を右に曲がる
- ☐ 改札（かいさつ） ticket wicket ／检票／개찰
  - 例 駅の改札を出る
- ☐ 乗車券（じょうしゃけん） ticket ／车票／승차권
  - 例 乗車券と特急券
- ☐ 車内（しゃない） in-car ／车厢内／차내
  - 例 車内に忘れ物をする
- ☐ 歩道（ほどう） side walk ／人行道／보도
  - 例 歩道を歩く
- ☐ 大通り（おおどおり） main street ／大路／큰 길
  - 例 大通りに面したビル
- ☐ 車両（しゃりょう） vehicle ／车辆／차량
  - 例 車両の通行
- ☐ 歩行者（ほこうしゃ） pedestrian ／行人／보행자
  - 例 歩行者優先

健康・美容（けんこう・びよう）

- ☐ アレルギー allergy ／过敏／알레르기
  - 例 アレルギー反応が出る
- ☐ 栄養（えいよう） nutritional ／营养／영양
  - 例 栄養をとる
- ☐ 外食（がいしょく） dining out ／外出就餐／외식
  - 例 外食が増える
- ☐ 症状（しょうじょう） symptoms ／症状／증상
  - 例 症状が重い
- ☐ ジョギング jogging ／慢跑／조깅
  - 例 ジョギングでやせる
- ☐ ストレス stress ／压力／스트레스
  - 例 ストレスがたまる
- ☐ 美容（びよう） beauty ／美容／미용
  - 例 美容効果がある
- ☐ 予防（する）（よぼう） protection ／预防／예방
  - 例 病気を予防する
- ☐ ライフスタイル lifestyle ／生活方式／라이프스타일
  - 例 ライフスタイルの変化（へんか）

スポーツ・テレビ

- ☐ インタビュー（する） interview ／采访／인터뷰
  - 例 街の人にインタビューする
- ☐ コメント（する） to comment ／评论／코멘트
  - 例 専門家のコメント
- ☐ 報道（する）（ほうどう） news report ／报道／보도
  - 例 事件を報道する
- ☐ レポーター reporter ／采访记者／리포터
  - 例 テレビのレポーター
- ☐ 監督（かんとく） manager, coach ／教练／감독
  - 例 監督を務める
- ☐ 決勝（けっしょう） final game ／决赛／결승
  - 例 決勝に進む
- ☐ 勝利（する）（しょうり） victory ／胜利／승리
  - 例 試合に勝利する
- ☐ スタミナ stamina ／持久力、精力／스태미너
  - 例 スタミナがある
- ☐ 体力（たいりょく） physical strength ／体力／체력
  - 例 体力をつける
- ☐ 調子（ちょうし） shape ／身体情况／듣기 좋은 말을 잘하다, 건강상태가 좋다
  - 例 調子がいい
- ☐ テクニック technique ／技巧／테크닉
  - 例 テクニックを磨く
- ☐ 敗退（する）（はいたい） to go out, to lose ／淘汰、失败／패퇴
  - 例 1回戦で敗退する
- ☐ プレー play ／比赛／플레이
  - 例 いいプレーをする
- ☐ メンバー member ／成员／멤버
  - 例 メンバーに選ばれる
- ☐ 予選（よせん） preliminary round ／预选赛／예선
  - 例 予選を通過する

経済・ビジネス（けいざい）

- ☐ 資源（しげん） resources ／资源／자원
  - 例 豊富な資源

- □ マーケティング　marketing／销售战略／마케팅
  - 例 マーケティングを学ぶ
- □ 普及(する)　to spread／普及／보급
  - 例 インターネットの普及
- □ グローバル化　globalization／全球化／글로벌화
  - 例 グローバル化が進む
- □ 消費者　consumer／消费者／소비자
  - 例 消費者の意見
- □ 生産(する)　production／生产／생산
  - 例 製品を生産する
- □ 景気　economy／景气、经济状况／경기
  - 例 景気が悪い
- □ 市場　market／市场／시장
  - 例 市場の動きをみる
- □ 製品　product／产品、制品／제품
  - 例 新製品を発表する
- □ ブーム　boom／风潮／붐
  - 例 登山がブームになる
- □ 使い勝手　usability／是否好用／사용하기 편리한 정도
  - 例 使い勝手が悪い
- □ 宣伝(する)　advertising／宣传／선전
  - 例 商品を宣伝する
- □ 売れ筋　hot-selling／卖得好／잘 팔림
  - 例 売れ筋の商品
- □ 品揃え　selection of goods／商品种类齐全／상품을 갖춤
  - 例 品揃えがいい
- □ 返品(する)　returned goods／退货／반품
  - 例 商品を返品する
- □ 配送(する)　delivery／配送／배송
  - 例 配送料がかかる
- □ 取り扱う　deal in／经营／취급하다
  - 例 輸入品を取り扱う

● 著者

藤田 朋世（ふじた ともよ）	元東京大学日本語教育センター特任助教
菊池 富美子（きくち ふみこ）	東京大学日本語教育センター非常勤講師
日置 陽子（ひおき ようこ）	愛知淑徳大学非常勤講師
渡部 真由美（わたなべ まゆみ）	元日本学生支援機構東京日本語教育センター日本語講師
青木 幸子（あおき さちこ）	元筑波大学非常勤講師
水野 沙江香（みずの さえか）	元ベオグラード大学客員講師
塩川 絵里子（しおかわ えりこ）	元九州大学留学生センター非常勤講師
渕上 真由美（ふちがみ まゆみ）	早稲田大学日本語教育研究センター非常勤インストラクター
久芳 里奈（くば りな）	日本学生支援機構東京日本語教育センター日本語講師
久木元 恵（くきもと めぐみ）	筑紫女学園大学講師

レイアウト・DTP	オッコの木スタジオ
カバーデザイン	花本浩一
翻訳	Darryl Jingwen Wee／王雪／崔明淑
編集協力	高橋尚子

日本語能力試験 完全模試 N1

平成24年（2012年）11月10日　初版第1刷発行
令和元年（2019年）10月10日　　　第7刷発行

著　者　藤田朋世・菊池富美子・日置陽子・渡部真由美・青木幸子・水野沙江香・塩川絵里子・渕上真由美・
　　　　久芳里奈・久木元恵
発行人　福田富与
発行所　有限会社Ｊリサーチ出版
　　　　〒166-0002　東京都杉並区高円寺北2-29-14-705
電　話　03(6808)8801（代）　FAX 03(5364)5310
編集部　03(6808)8806
　　　　http://www.jresearch.co.jp
印刷所　株式会社シナノ パブリッシング プレス

ISBN 978-4-86392-121-4
禁無断転載。なお、乱丁、落丁はお取り替えいたします。

©2012　Tomoyo Fujita, Fumiko Kikuchi, Yoko Hioki, Mayumi Watanabe, Sachiko Aoki, Saeka Mizuno, Eriko Shiokawa,
　　　　Mayumi Fuchigami, Rina Kuba, Megumi Kukimoto　All rights reserved.　Printed in Japan

模擬試験
第1回

N1

言語知識(文字・語彙・文法)・読解

(110分)

模擬試験 第1回

問題1 ＿＿＿の読み方として最もよいものを、1・2・3・4から一つ選びなさい。

1 部屋に甘い香りが漂っている。
 1　におって 2　ただよって 3　はって 4　にごって

2 住む場所によって家賃には若干の違いがある。
 1　じゃくかん 2　じゃっかん 3　じゃくがん 4　しゃくがん

3 しっかり勉強して来週の試験に臨みたい。
 1　いどみ 2　すすみ 3　のぞみ 4　はげみ

4 この映画は女性には不評だった。
 1　ふへい 2　ふべい 3　ふひょう 4　ふびょう

5 私が一人暮らしをしたいと言ったら、父は渋い顔をした。
 1　しぶい 2　にがい 3　こわい 4　つらい

6 平静を装ってはいたが、内心は相当悔しかったに違いない。
 1　びょうじょう 2　へいじょう 3　びょうせい 4　へいせい

問題2　（　　）に入れるのに最もよいものを、1・2・3・4から一つ選びなさい。

[7] 新製品の開発について、部長に（　　）を求めた。
　1　ニーズ　　　　2　アドバイス　　　　3　リクエスト　　　　4　パワー

[8] コピー用紙がなくなりかけたら、（　　）しておいてください。
　1　補足　　　　2　補修　　　　3　補充　　　　4　補助

[9] スケジュールを（　　）して、旅行に行く計画を立てた。
　1　調整　　　　2　会談　　　　3　交渉　　　　4　計算

[10] 母は私が落ちこんでいる時、いつも（　　）くれた。
　1　求めて　　　　2　うながして　　　　3　説得して　　　　4　はげまして

[11] 宝石は金庫に（　　）に保管されている。
　1　厳密　　　　2　厳格　　　　3　厳重　　　　4　厳正

[12] パソコンを処分するときは、データを完全に（　　）するようにしてください。
　1　免除　　　　2　消去　　　　3　追放　　　　4　削減

[13] 子供の教育については、家庭（　　）に考え方が違う。
　1　ごと　　　　2　ずつ　　　　3　つき　　　　4　あたり

模擬試験 第1回

問題3 ＿＿＿の言葉に意味が最も近いものを、1・2・3・4から一つ選びなさい。

14 ドアの外から<u>かすかな</u>声が聞こえた。
   1 大きい   2 小さい   3 高い   4 低い

15 この製品は<u>かさばる</u>ため、輸送費がかかる。
   1 運びにくい形をしている   2 大きくて場所をとる
   3 運ぶのが大変なほど重い   4 小さいがかなり重い

16 社長は海外への進出を<u>企てている</u>。
   1 迷っている   2 計画している   3 議論している   4 反対している

17 スポーツ選手には、まず何よりも<u>フェア</u>な態度が求められる。
   1 公平な   2 活発な   3 厳しい   4 冷静な

18 このイベントの<u>趣旨</u>がよくわからない。
   1 目的   2 結論   3 おもしろさ   4 素晴らしさ

19 <u>むやみに</u>知らない人に話しかけないほうがいい。
   1 急に   2 何度も   3 よく考えないで   4 勝手に

問題4 次の言葉の使い方として最もよいものを、1・2・3・4から一つ選びなさい。

20 著しい
   1 最近の医療技術には<u>著しい</u>進歩が見られる。
   2 彼は<u>著しい</u>性格で、たびたび問題を起こした。
   3 これは<u>著しい</u>作家が書いたエッセイだそうだ。
   4 <u>著しい</u>音を立てて、車が壁にぶつかった。

21 当てはまる

1 子供が急に道路に飛び出して、車に当てはまる事故が増えている。
2 山田さんはこの会社の募集条件に当てはまる。
3 最近の天気予報はよく当てはまると思う。
4 この部屋の壁によく当てはまる絵を探しています。

22 気味が悪い

1 恋人とけんかして気味が悪い。
2 風邪を引いて気味が悪いので、学校を休んだ。
3 知らない人から電話がかかってきて気味が悪い。
4 このスープ、塩を入れ過ぎたのか、ちょっと気味が悪い。

23 めど

1 今週末をめどにこのプロジェクトを終わらせたい。
2 結婚したのをめどに仕事を辞めた。
3 この地図をめどに家まで来てください。
4 病気をめどにスポーツ選手の夢をあきらめた。

24 ぐったり

1 今日は休みなのでぐったり休みたい。
2 今日の空は暗くてぐったり見える。
3 眼鏡を忘れたので目の前がぐったりしている。
4 彼は熱を出して家でぐったりしている。

25 冴える

1 このナイフは冴えていて切りやすい。
2 触った感じは冴えていて、絹のようだった。
3 今夜は目が冴えて眠れない。
4 川の水は、とても冴えていて、川底までよく見えた。

模擬試験 第1回

問題5 次の文の（　　）に入れるのに最もよいものを、1・2・3・4から一つ選びなさい。

26 夕方のタイムセールが始まる（　　）、スーパーは買い物客でごった返している。
1　とみれば　　　2　ともなく　　　3　とあれば　　　4　とあって

27 （会社で）
A「課長、どのぐらい遅れるって？」
B「娘さんが熱を出した（　　）なんとかで、病院に連れて行くようなこと、言ってましたよ。」
1　とか　　　2　でも　　　3　から　　　4　けど

28 （サッカー場で）
A「今日、みんな来てくれるかなあ？」
B「どうかな。気温も低いし、来ない人もいる（　　）？」
1　じゃない　　　2　んじゃないの　　　2　じゃないかな　　　4　でないか

29 ミスをしたときは、すぐに誤りを認めて、素直に上司の指示を（　　）。
1　仰ぐにすぎない
2　仰ぐことだ
3　仰ぐというものだ
4　仰がないわけだ

30 （名刺を渡しながら）
山田「東京支店の山田と申します。このたび、鈴木様の担当を（　　）。これからどうぞよろしくお願い申し上げます。」
1　務めさせていただくことにしました
2　務めさせていただくことになりました
3　務めていただくことになりました
4　務めていただくことにいたしました

31 せっかく声をかけてもらったのに、出席できず（　　　）。
　1　残念でやまない　　　　　　　　2　残念なかぎりだ
　3　残念で何よりだ　　　　　　　　4　残念といいがたい

32 （試合後のインタビューで）
　A「優勝おめでとうございます。今回優勝できたポイントはどのような点でしょうか。」
　B「チームの結束があった（　　　）、この優勝を手にすることができたと思います。」
　1　ならまだしも　　2　とみるや　　3　のにひきかえ　　4　からこそ

33 才能のあるなし（　　　）、モチベーションを高く保ち続けることが成功のポイントだ。
　1　とあいまって　　2　といったら　　3　にかかわらず　　4　をしりめに

34 この会社は、グローバル企業（　　　）、会議は英語で行われているという。
　1　だけあって　　　　　　　　　　2　にしてみれば
　3　ならでは　　　　　　　　　　　4　だというからには

35 ダイエットをする上でどんなことに注意（　　　）、お話しいただけますか。
　1　してなさるか　　　　　　　　　2　されてなさるか
　3　していらっしゃるか　　　　　　4　されてなさっていらっしゃるか

模擬試験 第1回

問題6　次の文の ★ に入る最もよいものを、1・2・3・4から一つ選びなさい。

（問題例）

あそこで ＿＿＿ ＿＿＿ ★ ＿＿＿ は山田さんです。

1　テレビ　　　　2　見ている　　　　3　を　　　　4　人

（解答のしかた）

1. 正しい文はこうです。

   あそこで ＿＿＿ ＿＿＿ ★ ＿＿＿ は山田さんです。
   　　　　　1　テレビ　3　を　2　見ている　4　人

2. ★ に入る番号を解答用紙にマークします。

   （解答用紙）　（例）　① ● ③ ④

---

36 中学生の ＿＿＿ ＿＿＿ ★ ＿＿＿、周りの大人がとやかく口を出すべきではない。

1　出した　　　2　娘が　　　3　結論なのだから　　4　彼女なりに

37 ＡＢＣ交通が安全より利益を優先させ、従業員に ＿＿＿ ＿＿＿ ★ ＿＿＿、今回の悲惨な事故が起きたと見られている。

1　がために　　2　無理な労働を　　3　きた　　4　強いて

38 いくら建物が ＿＿＿ ＿＿＿ ★ ＿＿＿ ということにはならない。

1　建て替える　　2　といっても　　3　老朽化している　　4　すぐに

39 この施設では、介護 ＿＿＿ ＿＿＿ ★ ＿＿＿ を目指しているという。
　　1　充実　　　　　2　生活全般の　　　3　ケアの　　　　4　のみならず

40 幼い子どもが犠牲 ＿＿＿ ＿＿＿ ★ ＿＿＿ で見るにつけ、胸が痛くなる。
　　1　を　　　　　　2　事件　　　　　　3　ニュース　　　4　になる

問題7 次の文章を読んで、41 から 45 の中に入る最もよいものを、1・2・3・4から一つ選びなさい。

　年末が近づくと、通信教育の「ペン字講座」の広告が多くなる。年に一度、新年の挨拶ぐらいは自筆の文字で書こうという消費者の心理をついて、この時期に受講生を募集するのだ。広告には、「美しい文字を書ければ、好印象」などといったフレーズが踊る。手書き文字が書いた人の印象を左右するというのは、経験上うなずけることだ。 41 、タイプの文字は誰が書いても同じだから、メールの場合、本当に差出人が書いたものかも、厳密には分からない。改めて考えると、なかなか恐ろしい話だ。

　「ペン字講座」にしろ「習字教室」にしろ、商売として成り立つということは、手書き文字の上達を望む人は少なくないのだろう。 42 、日常生活では、下手であるがゆえにタイプを利用するという現実もある。

　そう言う筆者も、日常の連絡ツールは 43-a であり、 43-b をするのは、メッセージカードに一言二言書くときくらいだ。そんな折、知人の訃報(注1)に接し、ご家族に宛てた手紙を書く必要に迫られた。縦書きが相応しいとは思いつつ、きれいに書く自信がなかったので、横書きの便せんを選んだ。それにもかかわらず、まっすぐに字が並ばず、仮名と漢字のバランスも上手くとれない。しかも、普段読めているはずのやさしい漢字すら 44 。パソコンや携帯電話では、仮名さえ入力できれば、漢字の候補を 45 。しかし、便利な機能に頼ってきたばかりに、手書きで書く力が衰えているのだ。

　情報の鮮度が求められ、レスポンスの速さが親密度を測る尺度と言われる今日、パソコンで行われる書類作成やメール機能の利用に異議を唱えるつもりはない。ただ、いざという時(注2)に恥ずかしくならないよう、日ごろからある程度のまとまった文を手書きする癖をつけておいたほうがよさそうだ。「好きこそものの上手なれ」である。

（注1）訃報：死去したという知らせ
（注2）いざという時：重大なこと、緊急にするべきことが起きたとき

41
1　それにもかかわらず　　　　2　それなのに
3　それにひきかえ　　　　　　4　それにもまして

42
1　しかし　　　　2　たとえば　　　3　たしかに　　　4　ところで

43
1　a　メール　/　b　パソコン　　　2　a　パソコン　/　b　メール
3　a　メール　/　b　手書き　　　　4　a　手書き　/　b　メール

44
1　書けないわけだ　　　　　　2　書けないものでもない
3　書けないではすまない　　　4　書けないしまつだ

45
1　挙げてあげる　　　　2　挙げてほしい
3　挙げてもらえる　　　4　挙がってもらえる

問題8 次の(1)から(4)の文章を読んで、後の問いに対する答えとして最もよいものを、1・2・3・4から一つ選びなさい。

(1)

　情報技術(IT)の進歩に伴い、ITを使いこなせる人とそうでない人の間で得られる情報量の違い、いわゆる「情報格差」が生まれている。この情報格差は、IT化とは別の側面からも生じ得る。その一つが、外国人などが言語の問題で情報にアクセスできないことだ。その対応策として、多言語による情報提供が進められている。例えば東日本大震災の際にもインターネットやラジオを通してさまざまな多言語情報が発信されたが、現在の課題は、その「伝達方法」である。いくら情報を発信しても相手に届かなければ意味がない。情報が届くには、発信メディアが日頃から外国人住民に広く認知され信頼されるものになっていなければならない。

46 この文章によると、多言語による情報提供の現在の課題は何か。

1　英語や中国語などメジャーな言語に限らず、より多くの言語に対応すること
2　インターネットやラジオだけではなく、多様な情報技術を活用すること
3　ITに精通していない人でも簡単に情報が得られるようにすること
4　ここにアクセスすれば情報が得られるという安心感を利用者に抱かせること

(2)

平成24年7月30日

株式会社○○商事
総務部人事課　山田太郎様

　拝啓　貴社ますますご清栄のこととお喜び申し上げます。

　　さて私は、△△大学 文学部 英文学科の鈴木陽子と申します。この度は、平成24年7月25日付け貴信により面接のご連絡をいただきまして、誠にありがとうございました。8月10日(金)午後2時より面接のお時間をいただいておりましたが、誠に勝手ながら辞退させていただきたく、ご連絡申し上げました。第一志望の会社より内定をいただいたことが理由でございます。

　　ご多忙のところ日程を設定していただいたにも関わらず、誠に申し訳なく、心よりお詫び申し上げる次第です。何卒ご了承いただきたく、お願い申し上げます。

　　末筆ながら、貴社の一層の発展をお祈り申し上げます。

敬具

鈴木陽子

[47] この文書によって筆者が伝えたいことはどれか。

1　面接の日時を変更してほしい
2　面接をキャンセルしたい
3　内定を辞退したい
4　採用が決まったのでお礼を述べたい

(3)

　最近、地域内の複数個所に自転車の貸し出しをする専用ステーションを設けて、自転車シェアリングのサービスを行う自治体が増えている。環境保全や地域おこしをねらいとした事業だ。最寄りの駅から目的地までの移動などに公共の自転車が利用できれば、さぞかし便利だろう。ところが、まだ成功といえる事例は少ない。背景には、どの自治体も、町にあふれかえる個人の自転車の管理に頭を抱えていることがある。人々の駐輪マナーの低下は、駐輪場の不足によってさらにエスカレートしている。まずは目の前の問題をどう解決するか、そっちのほうが先のようだ。

48　筆者は、自転車シェアリングのサービスを実施することについて、どう考えているか。
1　メリットの多い自転車シェアリングを推進すれば、今ある自転車の問題を解決できるかもしれない。
2　ひとまず現在の自転車の問題を解決し、自転車シェアリングについては後でまた考えればよい。
3　自転車シェアリングはメリットも多いので、今ある自転車の問題の解決と同時進行で実施していくのがよい。
4　自転車シェアリングにはまだまだ未解決の問題も多いので、当分の間は実施の必要性はない。

(4)
　われわれ人間から見れば、カッコウの托卵(たくらん)は、親らしからぬ、非常に愛情に欠けた行為に映ります。他種の鳥の巣に卵を置き、ひなに他の卵を蹴落すことまでさせて、まんまと仮親に自分の子を育てさせるのですから、どうしても、怠け者、ひきょう者といったイメージで見てしまいます。

　一方、托卵行為は、カッコウと托卵される側との長い攻防戦の産物でもあります。托卵先となった鳥たちは卵を見分けるなどの知恵を数十年かけて身につけます。カッコウもそれに応じて技術を磨いてきたのであり、ただ子育てを放棄し、あぐらをかいてきたというわけではないのです。

49　筆者の説明と合っているものはどれか。
　1　托卵される鳥とカッコウは双方に利点のある繁殖方法をとっている。
　2　カッコウは、他の動物がするような無償の愛に基づいた子育てをしない。
　3　カッコウは他の鳥に子育てをさせるが、人間が思うほど楽をしているばかりではない。
　4　鳥類は、巣の卵が他種の鳥の卵だと分かると子育てをやめるという習性を持つ。

模擬試験 第1回

問題9 次の(1)から(3)の文章を読んで、後の問いに対する答えとして最もよいものを、1・2・3・4から一つ選びなさい。

18分(1大問6分)

(1)

　六〇年ほど前、児童心理学者シャーロット・ビューラーは、子どもが自分にできるようになった力を用いることに喜びを見出し、その力によって様々なことを発見し、育つことの重要性を指摘しました。彼女はこれを「機能の喜び」と名づけていますが、自分の力（機能）を使うこと自体が子どもにとって喜びであり、それによって学び、育つという、人間の発達の本質をいい得て妙だと思います。(注)

　現代は、この「機能の喜び」がとかく無視されているのではないでしょうか。親は「良育」にせっかちなあまり、子どもが熱中していることに我慢できないようです。遠回りにも時間の無駄にもみえるのでしょう。そのため、自分の考える「よかれ」の計画路線に子どもを歩ませようとします。（中略）
①

　「機能の喜び」を味わう機会の減少は、自分が学ぶ力をもっていることについて知る体験を、子どもから奪うことでもあります。同時に、子どもの自己効力感を育てる機会をも奪っています。日本の子どもたちは、ある程度の能力をもっていても自信をもてない傾向が強いのですが、自力達成の機会の少なさも一因でしょう。親の過剰な教育熱がかえって、子どもが自ら育つことを疎外してしまっているのです。その意味でも、子どもの「発達権」の保障は急務です。
②

（柏木惠子『子どもが育つ条件－家族心理学から考える』岩波書店による）

（注）いい得て妙：実にうまく言い表している

50 ①「よかれ」の計画路線とはどういう意味か。
1　子どもの性格に合った学習プラン
2　親として安心できる進学先
3　より早く物事を進めるやり方
4　いい結果になるであろう道筋

51 筆者は、現代の親にはどのような特徴があると述べているか。
1　多忙で常に時間に追われ、子どもとのコミュニケーションを後回しにする。
2　教育に熱心なあまり、子どもの意思を尊重することを忘れてしまう。
3　子どもへの期待が高く、子どもが何かを達成できてもあまり褒めない。
4　子どもの教育を一番に考え、自分の趣味などに時間を費やすことがない。

52 ここで言う、②子どもの「発達権」の保障とはどういうことか。
1　子どもの力を信じ、成功体験の機会を失わせないようにする。
2　子どもが何かに熱中できるように、たくさんの習い事をさせる。
3　子どもが自分に自信が持てるように、先回りして手助けする。
4　子どもと過ごす時間を増やし、子どもへの愛情を欠かさない。

(2)

　人的資源としての国民の健康管理をめざす国家にとっては悪であろうが、個人にとっては現世的快楽に身をゆだねることもひとつの生きかたである。「生きるために食べる」という立場ではなく、かつての手段とされていたものが目的化して、「食べるために生きる」人間も出現しているのである。

　快楽を肯定して早死にするか、節制して長生きをするかは個人の哲学の問題であり、医学や栄養学のおよばぬ領域であるかもしれない。そのさい、自分の生きかたをきめる個人が無知であってはならないであろう。(中略)

　わが国の栄養士は国家のさだめた栄養指導者である。そのおもな役割は、学校や病院など集団給食の場における栄養管理にある。集団を対象としているので平均値としての栄養管理であり、食物にたいする個人的な差異は無視されがちである。しかし、それを食べる個人は、身体的差異をもち、文化的に形成された食物にたいする独自の価値観——たとえば嗜好など——を別にする人びとである。

　ながいあいだ、近隣の家族のかかりつけの医師として活動してきたホームドクターは、患者の職業、家族構成、体質、病歴、経済状態などを熟知したうえで、疾患の処置をしたり、健康維持のためのアドバイスをおこなう。それとおなじように、これからの栄養学にもとめられるのは、集団ではなく、個人を対象としたコンサルタントである。

(石毛直道『石毛直道　食の文化を語る』ドメス出版による)

(注1) 現世：今、生きている世界
(注2) 嗜好：飲食物についての好み

53 筆者は、「食べるために生きる」人間の生きかたはどのようなものだと述べているか。
1　国家に生きかたを管理されることを拒む
2　長生きよりも目の前の快楽を選ぶ
3　健康に良い食生活に強いこだわりを持つ
4　心身ともに健康であることを重視する

54 無知であってはならないであろうとは、どういう意味か。
1　自分の食生活を支える知識を持っていなければならない
2　何のために生きるかを理解していないのはよくない
3　節制や健康的な暮らし方に消極的であってはならない
4　国や栄養士に状況を把握しておいてもらうのがよい

55 ホームドクターの例をあげることによって、筆者はどんな意見を述べているか。
1　栄養士は、身体や食の価値観の個人差ではなく、病歴や経済状況を踏まえて栄養管理をすべきだ。
2　集団を対象とした栄養管理と、個人を対象とした栄養管理とで、専門職を分けたほうがいい。
3　かかりつけの医師が減ったので、栄養士は集団を対象とした栄養管理をより徹底したほうがいい。
4　今後は家族や個人の個別の事情を加味しながら相談にのってくれる栄養士が必要だ。

(3)

　貴重な生物が多い地域には、貴重な言語も多い。そんな調査結果を、米英の研究チームが米科学アカデミー紀要に発表した。しかし、その多くの言語は話し手が少なく、英語など一部の言語が国際的に広がることで、「絶滅」の危険性があるという。
　　　　　　　　　　　　　　　　　　　　　　　　　　　　　　　　　①
　チームは約6900の言語について地域的な特徴を分析。半分近い約3200の言語は、固有の生物が多いが、急速に生息地が失われている「ホットスポット」と呼ばれる35の地域で使われ
　　　　　　　　　　　　　　　　　　　　　　　　　　　②
ていた。ホットスポットは地上の約2.3％を占めるに過ぎないが、木や草、シダなどの約50％と、陸上に住む脊椎動物の約40％がその地域だけに住む固有種だという。
　　　　　　　（注）
　約2200の言語はその地域に固有の言葉で、約1500の言語は1万人以下、約500の言語は1千人以下の人しか話していなかった。

　言葉と生物の多様性が同じ地域で見られる理由について、チームは「複雑で、地域ごとに異なるだろう」として詳しくは言及していないが、「人間の国際的な経済活動は、貴重な言語にとっても潜在的な脅威になっている」と指摘している。

(朝日新聞2012年6月13日付夕刊による)

(注) 脊椎動物：背骨を持つ動物

[56] ①「絶滅」の危険性があることがわかったものは何か。

1 貴重な生物が住む地域
2 貴重な生物が住む地域での英語の話し手
3 固有の種が多い地域で話されている言語
4 地球上のある地域に固有の生物

[57] ②「ホットスポット」の特徴として正しいものはどれか。

1 その地域は近年急速に減少し、35地域になった。
2 その地域の言語は、種類は多いがそれぞれの話者は少ない。
3 そこで観察される言語の数が年々減り続けている。
4 動植物が観察されるのは、その地表面の約2.3%に限られる。

[58] 今回の米英チームによる調査を通じて、どのようなことが明らかになったか。

1 英語使用の拡大と"貴重な言語"の話者の減少とは無関係である。
2 調査対象とした言語のうち約3分の1は、その話者が1万人以下である。
3 言語の多様性と生物の多様性との類似について、因果関係が認められた。
4 生物の生息地が急速に減る地域と言語が危機に瀕する地域には一致が見られる。

問題10　次の文章を読んで、後の問いに対する答えとして最もよいものを、1・2・3・4から一つ選びなさい。

　コミュニケーションは、響き合いである。
　「打てば響く」という言葉がある。ひとこと言えばピンときてわかってくれるということだ。鐘(かね)を撞(つ)いたときに、ゴーンと鳴り響く。あの振動の感触が、コミュニケーションの場合にもある。二人で話しているときに、二つの身体が一つの響きで充(み)たされる。そんな感覚が、話がうまくできているときに訪れることがある。これはそれほど奇跡的なことではない。（中略）
　私たちは言葉でのやりとりをコミュニケーションの中心だと考えがちだ。しかし、言葉を使いはじめる以前までの膨大な時間、人類は存在してきた。その間にもコミュニケーションは当然成り立っていたはずだ。集団で暮らしている状態でコミュニケーションがないということは、考えられない。動物園の猿山を見ていると、それがよくわかる。
　猿山にはコミュニケーションがあふれている。あちらこちらで、もみ合いが起こっている。誰かがトラブルを引き起こし、また別の猿が加わって事態をややこしくさせる。感情をむき出しにして相手に伝え合う。自分の思いをそれぞれが通そうとする。思いがぶつかり合い、身体がもみ合うことで、現実が推移していく。ここには人間の使うような言語はないが、コミュニケーションはふんだんにある。猿山の別の所では、母猿が小猿のノミ(注)をとってやっている。小猿は気持ちよさそうにうっとりしている。言葉を使わなくても、気持ちは交流している。母親の指先の動き一つひとつが、小猿の心を動かしている。猿山の中で、それぞれが居場所を見つけ、時折(ときおり)移動しては関わり合う。この距離感覚自体が、コミュニケーション力なのだ。
　響く身体、レスポンスする身体。この観点から猿山を見ていると、猿の中には冷えた響かない身体は見つけられない。一人で部屋に閉じこもってテレビを見たり、パソコンをいじったりする空間がないこともその一因だろう。推測だが、一人でこもることのできるきわめて快適な環境を与えたとすれば、そこに引きこもり続けた猿は仲間と響き合う身体を徐々に失っていくだろう。使う必要のない筋肉や能力は衰えていく。使わなければ、力は落ちていく。
　言語的コミュニケーションは、身体的コミュニケーションを基盤にしている。動物行動学の研究は、動物たちが身体的コミュニケーション能力にあふれていることを教えてくれる。人間は言語という精緻(せいち)な記号体系を構築した。それによって高度な情報交換が可能になった。しかし、その一方で、身体的コミュニケーションの力が衰退する条件ができてしまった。

（齋藤孝『コミュニケーション力』岩波書店による）

（注）ノミ：ほ乳類や鳥類に寄生する小さい虫

[59] ①コミュニケーションは、響き合いであるとは、どういう意味か。
1 スムーズなコミュニケーションとは、鐘を撞き合うようにテンポよく言葉が交わされることだ。
2 コミュニケーションの中で発する言葉は、鐘が鳴り響くように相手に強く影響を与えることがある。
3 コミュニケーションでは、「打てば響く」ように相手の言葉に的確に反応し合うことが大切である。
4 コミュニケーションを通して、鐘の響きを感じるように相手と共感し合い、一体感を感じることがある。

[60] ②それとは何か。
1 言葉なしでも集団ではコミュニケーションが生じること
2 人類のコミュニケーションが言葉に依存していること
3 コミュニケーションをとらなければ集団では暮らせないこと
4 言葉を使い始める前にも人類が確かに存在していたこと

[61] 猿同士のコミュニケーションにはどのような特徴があるか。
1 お互いが感情をむき出しにするので、常に激しいものになる
2 適度な距離感を保ち、必要最小限のコミュニケーションをとる
3 言葉はないが、自分の意志や感情を身体全体で表現する
4 他者と頻繁に接触するため、人間よりコミュニケーションの量が多い

[62] ③条件とはどういう意味か。
1 言葉というシステムと、身体的な機能の低下
2 言葉というシステムと、そこから発展した高度な通信技術
3 言葉という便利なものと、争いの少ない社会
4 言葉という便利なものと、他者とかかわらなくて済む環境

模擬試験 第1回

問題11　次のAとBは、大学の入学時期についての記事である。後の問いに対する答えとして最もよいものを、1・2・3・4から一つ選びなさい。

A

　A大学が現在の春入学から秋入学に全面移行する方針を打ち出した。
　世界の主流は秋入学であり、春入学は日本を含め7カ国のみだという。世界の流れに合わせることで、留学生を増やし、大学の国際化を促進することが狙いである。また、3月の高校卒業から大学入学までの空白期間、いわゆる「ギャップターム」の間に社会経験が積めるとしている。
　だが、果たして、秋入学への移行が即ち留学生の増加、ひいては国際化に繋がるのだろうか。教育の質の向上を始め、優先すべき課題があるのではないだろうか。さらに、「ギャップターム」を有効活用するという構想は、理想論に過ぎないと感じる。社会に「ギャップターム」の受け皿が整わないうちは、所属先のない不安定さや経済的な負担を問題と捉える人が多いだろう。

B

　A大学が秋入学実施に向け本格的に動き出す方針を発表した。5年後を目途に国際基準である秋入学を導入し、海外との研究・教育の交流を活発化させる考えだ。
　その実現に向けてはいくつかの課題がある。一つは、秋入学した学生の卒業時期と新卒の定期採用の時期（4月）にズレが生じることだ。このズレが就職に不利になるという見方が強い。その解決のためには、秋入学・秋卒業の大学が増え、企業の採用方針が、春の一括採用から、春と秋の採用や通年採用に改められなければならない。それは一括採用・長期雇用といった日本型雇用システムの変更を意味する。
　そのため、A大学は、単独での秋入学移行ではなく他大学との連携を目指し、経済界との協議も始めている。

63 AとBのどちらか一方でのみ触れられている情報はどれか。

1　秋入学導入の目的
2　秋入学導入の目標時期
3　秋入学導入への課題
4　海外の大学の主な入学時期

64 AとBは、それぞれ秋入学導入についてどのような立場をとっているか。

1　AもBも否定的である。
2　Aは立場を明確にしていないが、Bは肯定的である。
3　Aは否定的だが、Bは立場を明確にしていない。
4　AもBも立場を明確にしていない。

65 日本で秋入学が広まるために必要なこととして、AにもBにも書かれていないことはどれか。

1　秋入学実施に向けての海外の取り組みを参考にすること
2　「ギャップターム」が有効活用できる環境づくりをすること
3　複数の大学で協議し、足並みを揃えて実施を目指すこと
4　経済界など社会全体と連携しながら導入を進めること

問題12 次の文章を読んで、後の問いに対する答えとして最もよいものを、1・2・3・4から一つ選びなさい。

「ロハス」は原産地がはっきりしている。

アメリカである。

Life-styles of Health and Sustainability——健康で持続可能性のあるライフスタイル——の頭文字をとった造語である。(中略)

環境問題の用語になじみにくいものが多いのは、それに取り組むのがいつも後手後手で外来の研究や思考に頼らざるをえない日本の姿を反映しているが、なかでも頭が痛いのは、このSで始まる語になかなかよい訳語が見付からぬことである。しかも、このsustain（支える、維持する）という言葉は環境問題を考える上での、いちばん中心にある概念なのだから、厄介である。環境が維持できる可能性(sustainability)の範囲内に人間の営みを限ろうというのだから。

こんな目に遭わねばならないほど、私たち日本人は昔から自然環境に無関心、無頓着だった(注1)のかと言えば、歴史的、文化的に見るとそんなことはない。

その証拠のひとつは、環境分野で初のノーベル平和賞の受賞者、ケニアのワンガリ・マータイ女史が世界に広めようとしている「もったいない」という言葉である。(中略) 横文字好きのわが政府がやっている運動を外国人が日本語で表現したところが（本人にはその意図はなくとも）何とも皮肉である。が、もっと皮肉なのは、「もったいない」が原産地ではほとんど死語と化していることだ。

かつて雑誌の編集長をしていた私は「今どきの若者」を表現する意味で、「新人類」という語を世に送り出したことがある。ほとんどジョークのつもりだったのが、若者への違和感を深めていた「旧人類」たちにアピールしてしまい、流行語になった。"発信元"の編集部には、「新人類」の定義、リスト、年齢などの資格要件などについての問合せが相次ぎ閉口した。その時、(注2)
私が「新」と「旧」とを分ける分水嶺として用いたのが「もったいない」だった。食うや食わず(注3)
の幼時体験があって、「もったいない」と思わず口にする世代と、大量生産、大量消費の時代に育って「消費は美徳」と刷り込まれ、「もったいない」という言葉を知らない世代。それが分かれ目だと説明したのである。

マータイさんが古い日本語を復活させてくれたことに感謝したいところだが、「もったいない」には3Rどころか「持続可能性」に通ずるものがある。もともと日本人の持っていた言葉が(注4)
消えていったということは、①それが示していた内容が消えたということである。

それはこの語を知らない人たちのせいというよりは、その語を忘れようとした人たちのせい

だろう。とにかく、「忘れた世代」と「知らない世代」とが、ともに大量生産、大量廃棄、今日に至る私たちの社会を作ってきた。そこに新旧の別などなく、多くの流行語がそうであるように、「新人類」などというのはまことに軽薄、軽率な造語だった。

(筑紫哲也『スローライフ』岩波書店による)

(注1) 無頓着：気にしないこと
(注2) 閉口する：困る
(注3) 分水嶺：雨水が異なる水の流れに分かれる境界、物事の分かれ目になるところ
(注4) 3R：リサイクル（Recycle・再資源化）、リユース（Reuse・再使用）、リデュース（Reduce・ごみを減らす）の3つを指す環境用語

66 筆者が述べていることと合っているのはどれか。
1 日本では新しい分野の研究はいつも海外から取り入れたもので、環境問題についても同じことが言える。
2 日本の環境対策は進んでおり、そこで使われる用語の中には外国語に訳すのが難しいものも多い。
3 日本人の自然環境に対する意識が低いのかというと、そうでもなさそうだ。
4 日本は新しい分野の研究でいつも外国の先を行っており、環境の分野でも先進的である。

67 ここでは、「もったいない」はどのような言葉として述べられているか。
1 もともと日本語だが、現代の日本ではあまり使われなくなっている。
2 世界に広まった日本語の一つだが、環境先進国のアメリカではあまり知られていない。
3 ケニアの伝統的な考え方を日本語で表現した造語で、今、世界に広まりつつある。
4 日本政府が環境政策のPRにキャッチフレーズとして使い、それをケニアの学者が世界に紹介した。

68 ①それが示していた内容とは何か。
1 食料不足による飢えの体験
2 消費をよしとする考え方
3 ものを大量に生産する社会
4 ものを大事にしようという意識

69 ②そうであるとはどのような意味か。
1 世代の新旧には関係がない
2 軽い気持ちでつくられ、中身がない
3 世代の新旧に注目してつくられる
4 現代社会の特徴を表している

問題13 右のページは、フリーマーケットの出店案内である。川本さんは、このフリーマーケットに出店したいと思っている。下の問いに対する答えとして最もよいものを、1・2・3・4から一つ選びなさい。

70 川本さんが1区画内で売ることができるのはどれか。

1　救急用品セットと未開封のかぜ薬
2　ブランド店で購入した革ジャケットとブーツ
3　未使用のアルバムと自作のポストカード
4　海外で買った台所用包丁と電動ミキサーのセット

71 川本さんは友人の太田さんが当日の手伝いをしてくれることになったので出店を決めた。開催日までに川本さんがしなければならないことは何か。

1　10月5日までに太田さんと事務局に行き、出店申込みの用紙を提出する。
2　10月5日までに申込みのメールを送るよう、太田さんにお願いする。
3　会場でテントやレジャーシートを借りられるよう利用申請をする。
4　事務局から来るメールを確認し、届いた許可証を印刷する。

フリーマーケット in あらかわ運動場 出店者募集!!

申込の締め切りは<u>10月5日(金)</u>です。たくさんのご参加をお待ちしています!

- ●開催日時　2012年10月11日(土)・12日(日)　10時～15時　※雨天中止
- ●出店スペース　1区画あたり　幅2m×奥行3m　(1代表者につき2区画まで申込可)
- ●出店料　当日、開催会場受付でのお支払いとなります。事前の持参・振込はできません。

出店の種別	1日の出店料
一般出店　(家庭での不用品を売りたい方)	1区画あたり1500円
アート出店(手作りの品を売りたい方)	1区画あたり1000円

- ●販売できるもの

一般出店　・・・家庭での不用品(衣類・くつ・食器・洗剤・おもちゃ・CD・家電等)。
　　　　　　　　手作りの品は不可。
アート出店　・・・手作りの衣類・小物・家具・絵画作品など、出品者が制作したもの。

※ 飲食物・薬の販売は不可。刃物などの危険物・動植物・ブランド物のコピー商品・ポルノ商品は、販売・会場への持ち込みともに禁止されています。
※ 商売として中古品の仕入れ・販売を行っている方の出店(プロ出店)はできません。

- ●お申込方法

電話、FAX(本紙裏面が申込書になっています)、E-mailのいずれかにより、代表者様ご本人が事務局にお申し込みください。お申込の際は、①代表者氏名、②電話番号、③E-mail、④出店希望日、⑤出店の種別と希望区画数をお知らせください。受付完了後、メールにて出店許可証をお送りします(郵送をご希望の場合は事務局へお問い合わせください)。
※ 土日の両日とも出店を希望される方は、お手数ですが開催日ごとに分けて予約をおとりください。

- ●注意事項

※ <u>出店許可証はプリントし、当日必ず持参してください。</u>
※ つり銭・ハンガー・値札・敷物・筆記具などは各自でご用意ください。
※ 出店会場への車の乗り入れ、テント設営、発電機の持ち込みは一切できません。
※ 開催中の盗難・破損・事故等について、事務局は一切の責任を負いかねます。

申込先・事務局：**あらかわリサイクル市民の会**(〒199-0033 新川市中央区7-12)
電話：058-792-4810(平日10:00～17:00)　FAX：058-792-4813
E-mail：fleamarket@arakawa.ne.jp　HPアドレス：http://www.arakawa-recycle.html

模擬試験 第1回

N1

聴解
（60分）

問題 1

問題1では、まず質問を聞いてください。それから話を聞いて、問題用紙の1から4の中から、最もよいものを一つ選んでください。

例

1　実習の日を変更する
2　田中さんに確認する
3　ゼミの全員に確認する
4　先生に連絡する

1番

1 他の部署の課長に連絡する
2 Ａ会議室を予約する
3 パソコンをもう１台用意する
4 大阪支店に電話をかける

2番

1 発表の日にちを決める
2 全員にメールを送る
3 卒業論文について報告する
4 発表の順番を話し合う

3番

1 ランチメニューを注文する
2 ほかの店に行く
3 店の会員カードを探す
4 店の会員になる手続きをする

4番

1 駅に落とし物を届ける
2 隣の駅に行って尋ねる
3 警察に落とし物の届け出をする
4 地下鉄の会社に問い合わせる

5番

1　お弁当15個、お茶7本、サラダ20
2　お弁当15個、お茶20本、みそ汁20
3　お弁当20個、お茶7本、サラダ20
4　お弁当20個、お茶20本、みそ汁20

6番

1　本を借りるのをやめる
2　一度返却して改めて借りる
3　本を予約する
4　インターネットで延長の手続きをする

模擬試験 第1回

問題2

問題2では、まず質問を聞いてください。そのあと、問題用紙のせんたくしを読んでください。読む時間があります。それから話を聞いて、問題用紙の1から4の中から、最もよいものを一つ選んでください。

例

1　お金が準備できなかったから
2　友達の都合が悪くなったから
3　重要な仕事が入ったから
4　国内の方が気楽でいいから

1番

1　ランキングで1位をとったこと
2　かつての人気ドラマをうまくアレンジしたこと
3　主演俳優の演技がうまいこと
4　音楽が効果的であること

2番

1 自分に向いている仕事であること
2 経済的に安定していること
3 大企業であること
4 仕事の幅が広いこと

3番

1 お年寄りでも簡単に操作できるもの
2 アニメが好きな人を対象にしたもの
3 家事や生活に関係したもの
4 ゲームに親しんだ高齢者が興味を持つもの

4番

1 的確な情報を伝えること
2 きちんと挨拶すること
3 敬語を正しく使うこと
4 日々練習すること

5番

1 以前から興味があったから
2 書道展を開きたいと思ったから
3 手書きの字の良さを実感したから
4 仕事の息抜きになるから

6番

1 今のプロジェクトを辞めてほしい
2 たまには休みを取ってほしい
3 健康診断に行ってほしい
4 有給にどこかへ連れて行ってほしい

7番

1 ストレスを解消できるから
2 登山関係の商品が安く買えるようになったから
3 健康的で、適度な運動になるから
4 登山のイメージが変わったから

問題3

問題3では、問題用紙に何も印刷されていません。この問題は、全体としてどんな内容かを聞く問題です。話の前に質問はありません。まず話を聞いてください。それから質問とせんたくしを聞いて、1から4の中から、最もよいものを一つ選んでください。

— メモ —

問題4

問題4では、問題用紙に何も印刷されていません。まず文を聞いてください。それから、それに対する返事を聞いて、1から3の中から、最もよいものを一つ選んでください。

― メモ ―

問題5

問題5では、長めの話を聞きます。この問題には練習はありません。メモをとってもかまいません。

1番、2番

問題用紙に何も印刷されていません。まず話を聞いてください。それから、質問とせんたくしを聞いて、1から4の中から、最もよいものを一つ選んでください。

― メモ ―

3番

まず話を聞いてください。それから、二つの質問を聞いて、それぞれ問題用紙の1から4の中から、最もよいものを一つ選んでください。

質問1

1 好き嫌いが多い
2 食事時間が不規則である
3 毎回お腹いっぱい食べている
4 外食が多い

質問2

1 好き嫌いが多い
2 食事時間が不規則である
3 毎回お腹いっぱい食べている
4 外食が多い

模擬試験
第2回

N1

言語知識(文字・語彙・文法)・読解

(110分)

模擬試験 第2回

問題1 ＿＿＿の読み方として最もよいものを、1・2・3・4から一つ選びなさい。

1 資金が乏しいから、今はこの計画は無理だ。
　　1　まずしい　　　2　さびしい　　　3　とぼしい　　　4　きびしい

2 彼は仕事で頻繁に海外へ行く。
　　1　ひんばん　　　2　ひんぱん　　　3　びんはん　　　4　びんぱん

3 部長から重要な任務を命じられた。
　　1　にんむ　　　　2　ぎむ　　　　　3　せきむ　　　　4　きんむ

4 人生には、会社で出世することよりもっと大切なことがある。
　　1　しゅつせい　　2　しゅっせ　　　3　しゅっせい　　4　でせい

5 大学卒業後は、国際社会に貢献できる仕事に就きたい。
　　1　こうけん　　　2　こけん　　　　3　こうげん　　　4　ぐげん

6 会議の準備はすっかり整っている。
　　1　そろって　　　2　いたって　　　3　ととのって　　4　とどこおって

問題2 （　　）に入れるのに最もよいものを、1・2・3・4から一つ選びなさい。

7 （　　）がかかりすぎるので、計画は中止になった。
1　リスク　　　　2　コスト　　　　3　ダメージ　　　　4　デメリット

8 30年前より医療技術ははるかに（　　）している。
1　更新　　　　2　発明　　　　3　考案　　　　4　進歩

9 ここは体の不自由な方（　　）の駐車場です。
1　専用　　　　2　特用　　　　3　単用　　　　4　私用

10 彼の作品は細かいところまで手が（　　）いる。
1　届いて　　　　2　出て　　　　3　込んで　　　　4　回って

11 災害から半年がたち、町はようやく（　　）日々を取り戻した。
1　安心な　　　　2　安全な　　　　3　平安な　　　　4　平穏な

12 この本の内容は（　　）生活ではあまり役に立たないことばかりだ
1　実　　　　2　真　　　　3　本　　　　4　当

13 彼の能力の（　　）はみんな知っている。
1　高さ　　　　2　強さ　　　　3　深さ　　　　4　良さ

模擬試験 第2回

問題3 ＿＿＿の言葉に意味が最も近いものを、1・2・3・4から一つ選びなさい。

14 店の前にみすぼらしい服を着た子供が立っていた。
　1　高そうな　　　2　涼しそうな　　　3　貧しそうな　　　4　丈夫そうな

15 警察官が質問をしたら、男はとぼけた。
　1　無視した　　　　　　　　　　2　知らないふりをした
　3　まじめに答えた　　　　　　　4　怒った

16 この芝居のあらすじを教えてください。
　1　最後の結末　　　　　　　　　2　だいたいの内容
　3　おもしろい場面　　　　　　　4　書いた人

17 彼女は若い人の間ではそこそこ有名な女優だ。
　1　まあまあ　　　2　やや　　　3　とても　　　4　あまりに

18 父は長年、英語教育に携わっている。
　1　関係している　　　　　　　　2　興味を持っている
　3　努力している　　　　　　　　4　苦労している

19 今回の提携は、A社にとって大きなメリットがある。
　1　機会　　　2　危険　　　3　利益　　　4　困難

問題4 次の言葉の使い方として最もよいものを、1・2・3・4から一つ選びなさい。

20 もろい
　1　この肉はもろくてとてもおいしい。
　2　彼女はもろい声で父親を呼んだ。
　3　体のもろい彼は病気ばかりしている。
　4　この建物は構造がもろいと指摘をされた。

[21] 加入する
1 子供のために保険に加入することにした。
2 沸騰したら鍋に牛乳を加入してください。
3 大学に加入したらアルバイトをしたい。
4 銀行にお金を100万円加入した。

[22] のどか
1 のどかな性格なので、彼は皆から好かれている。
2 彼女の家はのどかな坂道を上った所にある。
3 窓の向こうにはのどかな田園風景が広がっている。
4 この問題はもっとのどかな方法で解決するべきだ。

[23] 見通し
1 今年の新入社員はなかなか見通しがある。
2 被災地の再建の見通しはまだ立っていない。
3 どこで財布を落としたか、まったく見通しがない。
4 見通しもなく歩いていたら、道に迷ってしまった。

[24] とっさに
1 とっさに男が二人現れた。
2 会議はとっさに終わっていた。
3 電車を降りて、とっさに連絡した。
4 飛んできたボールをとっさによけた。

[25] ずれ
1 今月の給料は先月と5万円もずれがあった。
2 最近社長と社員の考え方にずれが出てきた。
3 この製品は従来の製品と使い方にずれがあります。
4 それぞれ国によって文化にずれがある。

問題5 次の文の（　　）に入れるのに最もよいものを、1・2・3・4から一つ選びなさい。

26 今日はもう帰ろう。残業続きで疲労もたまっている（　　）。
1　ことだし　　2　ものだから　　3　ためだし　　4　なのだから

27 当店の工芸品は、職人が一つひとつ精魂（　　）作っております。
1　につけ　　2　において　　3　をもって　　4　をこめて

28 周囲の期待を（　　）、彼女はせっかく決まった一流会社の内定を蹴ってしまった。
1　しりめに　　2　ふまえて　　3　こたえて　　4　よそに

29 彼女は生真面目で、他人のミスを指摘せずには（　　）らしい。
1　いられない　　2　ならない　　3　たえない　　4　できない

30 （大学で）
A「これから郵便局に速達を出しに行かなきゃなんないんだけど、Bさんの自転車、ちょっとの間、（　　）。」
B「うん、いいよ。使って。」
1　使ってもらうならかまわない
2　使わせてもらわない
3　使わせてもらってもいいかな
4　使ってもらって

31 わずか半年という短い期間（　　）、新たな業務をいろいろ経験できたという意味では、いい職場だったといえる。
1　だったものの　　　　　　　2　だったからには
3　だったくせに　　　　　　　4　だったとあって

32 （館内の説明をする前に）

A「皆さま、本日はようこそ当博物館にお越しくださいました。これからスタッフが館内を（　　　）。」

1　ご案内いただきます　　　　　　2　ご案内されます
3　ご案内させられます　　　　　　4　ご案内させていただきます

33　A「ねえ、聞いた？　ナンバーワン食品って、倒産したらしいよ。」

B「当然だよ。社名（　　　）胡散臭かったんだから。」

1　として　　　2　からして　　　3　をみて　　　4　にあって

34　（電話で）

A「はい、スズキ電気でございます。」

B「すみません、洗濯機の修理について（　　　）。」

1　お聞かせしたいんですが
2　お聞かせしましょうか
3　お伺いさせましょうか
4　お伺いしたいんですが

35　後輩達には私たちの代が（　　　）全国大会優勝を成し遂げてもらいたい。

1　成しがたかった　　　　　　2　成してやまなかった
3　成してならなかった　　　　　4　成しえなかった

模擬試験 第2回

問題6 次の文の ★ に入る最もよいものを、1・2・3・4から一つ選びなさい。

4分（1問50秒）

（問題例）

あそこで ＿＿ ＿＿ ★ ＿＿ は山田さんです。

1 テレビ　　2 見ている　　3 を　　4 人

（解答のしかた）

1．正しい文はこうです。

> あそこで ＿＿ ＿＿ ★ ＿＿ は山田さんです。
> 　　　　　1 テレビ　3 を　2 見ている　4 人

2．★ に入る番号を解答用紙にマークします。

（解答用紙）　（例）　① ● ③ ④

---

[36] 英語の辞書などに ＿＿ ＿＿ ★ ＿＿ 、減少するばかりか事態は一層深刻になっている。

1 掲載されるほど　2 過労死であるが　3 国際語となった　4 そのまま

[37] 全国高校サッカー選手権は5日、決勝が行われ、A校が延長戦 ＿＿ ＿＿ ★ ＿＿ 下し、初の優勝を果たした。

1 を　　2 B校　　3 末に　　4 の

[38] 彼にまた貸した本を汚されちゃって、まいったよ。一度 ＿＿ ＿＿ ★ ＿＿ となると、もう貸したくない。

1 二度三度　　2 だけ　　3 なら　　4 まだしも

39 彼女は ＿＿＿ ＿＿＿ ★ ＿＿＿ 落ち着きぶりだった。

1　ベテラン　　　　2　ながら　　　　3　かと思うような　　4　新人

40 さんざん ＿＿＿ ＿＿＿ ★ ＿＿＿ 2分だった。

1　あげくに　　　　2　たったの　　　3　待たされた　　　　4　診察が

問題7 次の文章を読んで、41 から 45 の中に入る最もよいものを、1・2・3・4から一つ選びなさい。

　先日、こんな記事を目にして、私はひどく切ない気持ちになった。台風が首都圏を襲った日、駅周辺の植え込みや駅構内の階段の手すりに、壊れて使い物にならなくなったビニール傘が大量に放置され、山のようになっていたというのだ。

　ビニール傘とは、その名の通り、ビニールで作られた透明な傘である。コンビニや100円ショップに行けば、安く手に入るため、非常に身近な存在となっている。ただ、その 41 、大事に長く使うものとは考えられていないというのも事実である。その証拠に、あちらこちらで 42 ように思われる。日本の傘の年間消費量をみると、その数は日本の人口とほぼ同じ約1億3000万本、ビニール傘はその約9割を占めている。

　現在、世界では資源のリサイクルに地球規模で取り組むようになってきており、 43 だろう。環境分野で初のノーベル平和賞を受賞したケニア人女性ワンガリ・マータイさんが、日本語の「もったいない」を、環境を守る世界共通語「MOTTAINAI」として広めることを提唱した。彼女は、来日した際、水洗トイレのレバーが「大」「小」に分かれている点に 44 を感じたという。彼女のメッセージは、私たち日本人の意識にもちょっとした変化を与えた。 45-a 、レバーの使い分けなど、当たり前のことすぎて、気にもかけないでいた。 45-b 、「MOTTAINAI」が世界に知られたのをきっかけに、自然に節約が意識されている日本社会を誇りに思うようになったのだ。

　毎年1億本以上のビニール傘が消費されている現実に少なからずショックを受けたあなた、「もったいない」という言葉が死語になってしまわないように、まずは1つ「MOTTAINAI」ことをやめてみてはどうだろうか。

41
1　軽さゆえに
2　手軽ささえ
3　安さゆえに
4　格安ささえ

42
1　粗末に扱われすぎている
2　差別的に買いすぎている
3　長く持ちすぎている
4　大事にされすぎている

43
1　ゴミの分別を意識している国も多い
2　ゴミの分別を忘れている国も多い
3　ゴミの重要性を意識している国は多くない
4　ゴミの重要性を忘れている国は多くない

44
1　日本人の防水意識の低さ
2　ケニア人の防水意識の高さ
3　日本人の節水意識の低さ
4　日本人の節水意識の高さ

45
1　a　それまでは　／　b　ところが
2　a　それからは　／　b　そこで
3　a　そのくせ　　／　b　しかし
4　a　それはそうと／　b　したがって

問題8 次の(1)から(4)の文章を読んで、後の問いに対する答えとして最もよいものを、1・2・3・4から一つ選びなさい。

(1)

　今年も中学合唱コンクールの模様が放映される時期となった。若い出場者たちのひたむきで気持ちのこもった歌声は、聴く者の心を素直に感動させる。合唱には、オーケストラやバンドなどの演奏とは違った魅力がある。まず合唱では、自分の声が楽器になる。同じ音色のものは二つとしてない楽器だ。そんな個性豊かな楽器たちは、ともすればバラバラになりがちだが、それが一つになった時に生まれるハーモニーには、何物にも代えがたい美しさがある。中学生という多感な年頃に、多様な個性を持つ生徒たちが力を合わせ、時にぶつかり合いながら、練習に励んできた。そこにはどんなドラマがあっただろう。そして、今年はどんなハーモニーを私たちに聞かせてくれるのだろう。今から期待に胸が膨らむのである。

46 筆者は合唱の魅力をどのように考えているか。

1　一人ひとり異なる声が一つになった時に、とても美しい響きになる
2　高価な楽器は必要なく、誰でも自由に参加できる
3　大勢で力を合わせることで、互いの欠点を補い合うことができる
4　この世に自分と同じ声を持つ者はいないので、常に自分の個性を生かすことができる

(2)

　心理学の用語で「知覚の選択性」というものがある。私たちは、外界の情報をすべて知覚しているわけではなく、無意識のうちに自分に必要な情報だけを取り込み、処理しているということだ。これは例えば、騒々しいパーティー会場でも話し相手の声は聞き取れることと関係している。一方、会議の様子を録音したものを聞くと、周囲の雑音がすべて入っているため、かなり聞きづらい。

　それでは、自分に必要な情報は何かと言えば、それは知覚主体の知識・期待・欲求・注意等の要因によって異なる。それらの要因で無意識に情報が取捨選択されているのだ。

47 「知覚の選択性」に関連するものはどれか。
1　子どもがいくら「早く寝なさい」と言われても、聞いていないふりをすること。
2　周りの話し声が煩わしいので、電車やバスの中でイヤホンをすること。
3　車の免許を取ると、それまで目に入らなかった道路標識の存在に気がつくこと。
4　たくさんのチラシが並んでいるときに、カラフルなデザインのものに目が行くこと。

(3)

　日本では、2012年7月1日から飲食店での生レバー(注)の販売が禁止された。ある食中毒事件を契機に、生肉に対する規制が一気に強化されたのだ。しかし、危険すなわち規制・禁止でいいのだろうか。衛生管理の技術の向上に伴い、現代の消費者は店で提供されるものはすべて安全だと思い込み、食べ物に関する知識が少なく、食に対して完全に受け身になりつつある。安全面をメーカーや飲食店に委ねる消費者と、リスクを恐れる行政が意識を改めない限り、いつか生卵や刺身が食卓から消える日が来るかもしれない。

（注）レバー：食用にする、牛・豚・鶏などの肝臓

[48] 筆者の考えに合うものはどれか。

1　食の安全を重視するのであれば、他の生食への規制も視野に入れるべきだ。
2　安易な規制・禁止より、飲食店に衛生管理を徹底させることが重要だ。
3　販売禁止の決定は消費者の自由意志を奪うものであり、疑問を感じざるを得ない。
4　食の安全を守るには、消費者が食への意識を高めることも必要である。

(4)
　新しい医療機器の開発には、新しい発想が不可欠です。それは現場の医師の声であったり、僕たち技術屋の持つ創造性であったりします。どちらが欠けても革新的な機器は生まれないのですが、エンジニアは医療の分野ではあくまで素人で、その機器に必要なものを真に知っているのは使用者である医師たちだ、ということを常に心に置くようにしなければなりません。うちの会社では、図面を作る人が直接医師とコンタクトをとり、必ず現場も見せてもらうという形をとっています。現実に根差した、ごく実用的なひらめき、発想力が求められる仕事といえます。

49 筆者によると、エンジニアの発想とはどのようなものか。
　1　実際に治療段階にある患者の視点に立った発想
　2　だれも思いつかないようなユニークな発想
　3　医師が求める機能を現実のものにするための発想
　4　現場の問題の根本を突く、素人ならではの発想

問題9 次の(1)から(3)の文章を読んで、後の問いに対する答えとして最もよいものを、1・2・3・4から一つ選びなさい。

(1)

　新石器時代に家が出現した。家の出現は、人々の日々の暮らしに安らぎといこいをもたらす。冬は暖かく、夏は涼しく、陽が落ちて暗くなっても炉には火が燃えている。家のなかには風も雨も雪も入ってこないし、腹のへったクマやトラやライオンに襲われる心配もない。家族の絆もさぞ強まったことだろう。でも、家の効果はそうした日常的なことや実際的なことだけではなかった。人の心や精神にとって、きわめて重要な役割を果した。(中略)自分が修学旅行や夏休みの休暇で長期に家を空けた時のことを思い出してください。

　"懐しい"と思う。どうしてそう思うのか。もし自分がいない間に作り替えられていたら、ガッカリしこそすれ懐しさはない。逆にわけのわからない怒りがこみ上げるかもしれない。家が変わっていなかったからこそ懐しいという気持ちが湧いてきたのだった。懐しいという心の働きは、喜怒哀楽の感情とはちがう不思議な感情で、人間にしかない。犬は古い犬小屋を振り返ってシミジミするようなことはしない。人間が、昔のものが変わらずにあるシーンに出会った時に、この感情が湧いてくる。

　その時、自分の心のなかでは何が起きているんだろう。おそらくこうなのだ。久しぶりに見た家が昔と同じだったことで、今の自分が昔の自分と同じことを、昔の自分が今の自分まで続いていることを、確認したのではあるまいか。自分はずっと自分である。

　人間は自分というものの時間的な連続性を、建物や集落の光景で無意識のうちに確認しているのではないか。

　新石器時代の安定した家の出現は、人間の自己確認作業を強化する働きをした。このことが家というものの一番大事な役割なのかもしれない。

(藤森照信『人類と建築の歴史』筑摩書房による)

(注)懐しい：一般的な表記は「懐かしい」

50 家の出現が人々にもたらした変化として、本文の内容に合うものはどれか。
1 家族が一緒に過ごす時間も増え、より親密になった。
2 仲間意識が高まり、みんなで食べ物を分け合うようになった。
3 快適な環境になっただけでなく、文化的な生活を楽しむようになった。
4 安心を得ることで心が穏やかになり、仲間同士の争いが減った。

51 自分というものの時間的な連続性とは、どのような意味か。
1 先祖から自分へと、代々、命が受け継がれていること
2 昔も今も、自分の性格や特徴は変わらないということ
3 過去の自分が今の自分へと途切れることなくつながっていること
4 過去の経験があったからこそ、今の自分があるということ

52 筆者の考えによると、家が果たした最も重要な役割は何か。
1 人間が自分という存在を確認できるようになったこと
2 一人一人バラバラの生活から家族中心の生活へ変えたこと
3 外界の危険から身を守る環境を人間に与えたこと
4 人間がそれぞれ帰るべき場所を持つようになったこと

(2)

「疲れましたなぁ」

と、同行のＴさんが、湯気のなかでいった。Ｔさんはものに感動すると肩が凝る人である。(中略)
下関(しものせき)・山口間の景色など、とくべついいものではない。むろん奇岩怪石(きがんかいせき)が団々と横たわっているわけでなく、変哲もない田園と丘陵のなかを道が北上してゆくのみなのである。しかし途中、出会う車はほとんどなく、例の擬石建造物(ぎせき)もあまりなく、平凡な緑と空がつづいていた。平凡な緑と空というものが、いまや日本ではもっとも歎賞(たんしょう)すべき絶景になっているのである。Ｔさんの肩の凝りは、そういう絶景への感動と無縁ではないらしい。(中略)

Ｔさんはこの松田屋の湯のなかで顔の筋肉をゆるめながら、不意に気づいたように、

「これは温泉ですか」

と、叫んだ。

われわれが浸(ひた)っている湯は、温泉であった。われわれがいま山口市の高名(こうめい)な温泉地である湯田の宿に泊まっている以上、この湯は温泉にちがいない。

「なるほど、温泉ですか」

と、Ｔさんは、この浴室における大発見にすっかり感動①してしまい、ふたたび肩が凝りはじめたようであった。

Ｔさんは、元来地理的教養の豊富な人なのである。山口市には湯田温泉というものが存在するということは知っているし、第一、この宿の予約をとってくれたのはＴさんなのである。しかしそれらはすべて知識であって、即今只今(そっこんただいま)Ｔさんの痩せた肉体を浸しこんでいるこの湯が温泉であるという心証的発見とはかかわりがない。肉体をもってこれが温泉であるということを知ったときに突如声を発するというのが、詩人なのであろう。

(司馬遼太郎『街道をゆく１　甲州街道、長州路ほか』朝日新聞社による)

(注１) Ｔさんは詩人である。
(注２) 山口県の下関市と山口市の間。筆者とＴさんは、福岡県の小倉市から下関市を経由し、山口市に移動してきた。
(注３) 奇岩怪石：奇妙な形をした珍しい岩々
(注４) 擬石建造物：天然石に似せて作った人造石の建造物
(注５) 歎賞：優れたものとして感じ入ること
(注６) 心証：心に受ける印象

[53] Tさんは山口への移動中、なぜ肩が凝ったのか。

1　変化のない田園風景が退屈だったから。
2　車窓から見る景色が懐かしく見入っていたから。
3　長く続く緑一色の景色に非常に感動したから。
4　平凡な田舎の景色が貴重なものだと知ったから。

[54] Tさんは何に①感動したのか。

1　自分の肌が今、温泉に触れていること
2　自分が今、高名な温泉地に来ていること
3　著名な筆者とともに湯田温泉に来られたこと
4　湯田温泉の湯の質が格別に良かったこと

[55] 筆者は詩人とはどのような人だと考えているか。

1　心動かされたことを素直に表現する人
2　鋭い感覚と豊富な知識を持ち合わせている人
3　身近な物事を普段からよく観察している人
4　言葉で人を感動させることができる人

(3)

　仮にあなたが知りあいから、エチオピアで飢餓に苦しむ難民救済のための募金に協力してくれと頼まれたとしよう。はじめから断ってしまえば、多少のうしろめたさは残るもののそれで一応、事態は収まる。しかし、もし協力を表明したとすると、あなたは、募金箱に百円入れても、千円入れても、一万円入れても「なぜもっと出せないのか」と言われるかもしれないという、「つらい」立場に立たされることになる。

（中略）先進国が今ある繁栄を獲得した要因となった種々の経済活動は、地球という、人類全体が共有すべき有限の資源を消費した結果であるという視点もありうる。そう考えるなら、南北の経済格差や南の国の飢餓の問題は、その共有資源を消費した代償として得られた経済活動の果実の偏在に起因するものであり、単に、ある特定の地域の問題ではありえないという議論が妥当性を持つことになる。資源の消費に関しては最大の「貢献国」のひとつである日本の国民としては、自分だけ高い生活水準をエンジョイしつつ、世界に蔓延する飢餓は自分の問題ではないとは言いきれない。

　ボランティアが経験するこのような「つらさ」は、結局、自分ですすんでとった行動の結果として自分自身が苦しい立場に立たされるという、一種のパラドックスに根ざすものである。

（金子郁容『ボランティア　もうひとつの情報社会』岩波書店による）

56 ①事態は収まるとは、具体的にはどういうことか。

1　必要以上の出費をしなくて済む
2　どうしようかと悩む必要はなくなる
3　知り合いとの間でトラブルになることを避けられる
4　飢餓の問題について、それまでより考えるようになる

57 筆者の考えによると、南北の経済格差や飢餓の問題を引き起こした要因は何か。

1　関係する国々における政治や外交の間違った判断
2　先進国が必要以上に多くの資源を消費してきたこと
3　長い間、南北間で戦争や紛争が続いて、経済活動が妨げられてきたこと
4　資源の恩恵を一方の人々だけが享受し、もう一方の人々は享受できないという不均衡

58 ②ボランティアが経験するこのような「つらさ」とは、どのようなものか。

1　問題の根源は実は自分にもあるのではないか、という感情に悩まされること
2　お金がそれほどあるわけでもないのに、もっと募金ができるのではないかと期待されること
3　自分と同じ志でボランティアに取り組もうとする人があまりに少なく、失望すること
4　ボランティアを続けたいと思う反面、経済的な事情から続けられないこと

問題10 次の文章を読んで、後の問いに対する答えとして最もよいものを、1・2・3・4から一つ選びなさい。

　学生が農村調査などに出かけると、農家の人たちは、学生さんがきた、というのでしばしば丁重に扱ってくれたりする。しかし、そういうときが、じつはいちばん危険なのだ。丁重に扱われることによって、学生はじぶんたちのほうがえらいのだ、という錯覚におちいる。そしてその錯覚のゆえに、教えを乞う、という謙虚なこころをいつのまにか失ってしまう。学生だって、大学教授だって、ほんとうはちっともえらくなんぞありはしない。知らないことだらけなのである。知らないからこそ、ひとに会って教えてもらおうとしているのである。肩書きがどうあろうと、教えを乞うているかぎりは学ぶ立場にいる。その学ぼうとする謙虚なこころが、ひとに話をきくときの基本的心がまえでなければならぬ。相手が農民であろうと、タバコ屋のおばあさんであろうと、取材する相手は、大げさにいえばわれわれにとっての教師なのだ。ひとにものをきくときには、いささかなりとも尊大な気持をもってはいけない。尊大な取材をする人は、けっして真実の情報を手にいれることもできないだろうし、そういう人にはおよそ知的な進歩も期待できない。

　このことはジャーナリストにとってもあてはまる。新聞社の名刺を出せば、いわゆるコワもて、というやつで、どこにでもかなり自由に出入りできる。そのことから、ジャーナリストは不当な自負心をもち、尊大になりがちだ。しかし、それはジャーナリストにとっての最大のワナなのである。そのワナにひっかかったがさいご、そういう人物はけっして大成できないと知るべきであろう。

　じっさい、わたしはこれまでの体験のなかで、大記者、名記者といわれる人たちにたくさん会ったが、そういう人はひとりの例外もなく、柔和で、謙虚な人びとであった。肩ひじ張って眼光するどい——そういうタイプの人はテレビの記者ものには登場するがそれはけっしてじっさいの名記者のイメージではないのである。ほんとうの名記者は、しずかで、たのしい人物たちなのである。その人がらが、すばらしい取材能力を決定している、といってもさしつかえないだろう。かれらはひとに話をきくにあたっての基本的な作法、つまり、謙虚さを人がらのなかにそなえているのである。

　ひとに教えを乞うという態度——それは当然、感謝の念とつながってゆく。そして、なんらかのかたちで感謝のこころをあらわす、ということが、しぜんとものをきく作法のなかに反映されてゆくのである。(中略)話をきいたあとで、たとえハガキ一本であろうと、こころがこもっていればそれでじゅうぶんだ。教えをうけたことにたいする感謝——そのこころを素直にもてるかもてないか、いささか道徳的な話になってしまったが、そのこころ構えがものをきく作法の基本条件だ、とわたしはかんがえている。

（加藤秀俊『取材学　探求の技法』中公新書による）

[59] 筆者が①危険だと感じるのはどのようなことか。
1 自分たちのほうが立場が上であると勘違いすること
2 農家の人たちと学生との間で意見が対立すること
3 正確な情報が手に入りにくくなること
4 農家の人たちに精神的な負担をかけてしまうこと

[60] ②ワナとはどういう意味か。
1 失敗
2 だまされること
3 落とし穴
4 障害

[61] ③けっして大成できないのはなぜか。
1 新聞社に勤める自分が優れていると錯覚した結果、取材相手に感謝の気持ちを示さないようになり悪い評判がつくから。
2 新聞社に属することに甘えて謙虚さを忘れ、その結果、相手から情報を引き出せず、よい取材結果を残せないから。
3 どこでも自由に出入りでき、何もしなくても基本的な情報が得られるので、つい努力を怠ってしまうから。
4 社会的信用のある新聞記者といえども、見た目が怖く冷たい印象の人は相手から警戒され、取材がうまくできないから。

[62] 筆者が考える大記者、名記者とはどんな人物か。
1 自分が何も知らないことを自覚して、知的な進歩を続ける、誰からも尊敬される人物
2 いつも穏やかで、相手が誰であっても謙虚な姿勢で取材をし、感謝のこころをきちんと示せる人物
3 真実を追求する情熱と、ほかの人にはたどり着けない情報をキャッチできる鋭い感覚を持っている人物。
4 謙虚で優しい人がらから誰にも好かれ、取材の後も個人的に付き合いたいと思わせる人物。

問題11　次のAとBは、格安航空会社、いわゆるLCCについての新聞のコラムである。後の問いに対する答えとして最もよいものを、1・2・3・4から一つ選びなさい。

A

　LCCは今や航空業界を席巻する成長ぶりである。先日も、LCCを利用し東南アジアへ旅をする機会があった。今回は7時間というフライトで、食事や飲み物のサービスが一切ないため、サンドイッチを購入することにした。しかし、何にせよ、選択肢があることは良いことだ。時間が来たら起こされ、食べたくもない食事を無理やりほおばる従来の機内サービスに比べたら、自分で選べることのほうがありがたいと言えばありがたい。

　もちろん、安かろう、悪かろうという面も多々ある。予約の際、インターネットを利用するが、手続きが少々複雑な上、キャンセルや変更もきかないといった落とし穴もある。また、便の遅延や欠航は日常茶飯事である。しかし、これらもすべて、料金を抑えるための方策によるものである。費用が安くなる分、気軽に旅を楽しめるようになったのは歓迎すべきことであろう。

B

　近年、日本市場に本格参入したLCCにみられるあの手この手のコスト削減の方法には、新鮮な驚きを覚えた。LCCでは、食事や飲み物をはじめ、映画の視聴や毛布などのアメニティーといった、これまで機内サービスの標準だったものが、基本的になくなったのだ。もちろん、必要ならばどれも有料でサービスを受けられる。この点が何とも合理的で好ましい。今後ますます浸透していってくれることを期待している。一方で、チケットの販売方法には課題を感じる。現在、インターネットでの購入が中心となっているが、利用方法が非常に複雑で、このままでは決まった層だけが利用できるサービスになりかねない。また、旅行代理店を通さない方法は、旅行業界にとってプラスにならないのではないかという懸念を抱く。いずれにせよ、業界全体の利益と発展に十分配慮がされることが望まれる。

63 AとBのいずれか一方のみで書かれていることはどれか。

1　LCCのコスト削減方法
2　LCCの機内サービスへの意見
3　実際にLCCを利用した感想
4　LCCの今後の展開予測

64 LCCの予約方法についてAとBはどのように考えているか。

1　Aはインターネットによる予約方法での不便は料金が安いので仕方がないと考え、Bは旅行会社を通さないことは、業界にとってはあまり好ましくないのではないかと考えている。
2　Aはインターネットによる予約方法は誰もが気軽に利用できるので歓迎すべきだと考え、Bは若者など決まった層だけが利用することになると指摘している。
3　Aはインターネットによる予約方法でキャンセルや変更ができないことを問題視し、Bは料金が安いので当然だと考えている。
4　Aはインターネットによる予約方法は多少不便だが料金が安いので当然だと考え、Bは旅行代理店を通さないことが合理的だと考えている。

65 LCCに対するAとBの考えはどのようなものか。

1　Aは何のサービスも受けられないことに不満を感じており、Bはお金さえ払えばサービスが受けられるシステムを合理的だと考えている。
2　Aは多少の不便は感じるものの、すべて低コストのためだと納得しており、Bは便の遅延や欠航を減らすことを最も改善すべき点だと考えている。
3　Aは便の遅延や欠航が生じやすいのは料金が安いのである程度しかたがないと考え、Bはチケット販売の方法は合理的で良いと考えている。
4　Aは利用者にとって旅費の負担が軽くなったことが何より朗報だと捉え、Bは全体的に好意的である反面、チケットの販売方法については改善の余地があると考えている。

問題12　次の文章を読んで、後の問いに対する答えとして最もよいものを、1・2・3・4から一つ選びなさい。

　私は芸術の存在理由を、一般に考えられているように個人の内面の表現のためにあるより、人間理解あるいは人間関係の創造のためにあると思っています。われわれが何かを表現し、それを公にする場合、他者あるいは第三者というものを前提としない活動の持続も、専門的な行為の成立もないからです。

　ではこの人間関係の創造とは、何であるのか。それはある人間がどういう関係や状況に置かれているのか、どういう可能性をもっているのか、あるいはどういう感受性（注1）をもっているのかをまず明らかにすることです。そしてそこからさらに発展して、いったいこの人間といわれるものは何なのか、そういうレベルでの問いかけを多くの人々と共有することです。つまり、ある表現行為を契機にして他人と共に人間について考え、想像することです。そういう目的で芸術行為の存在は貴重だと私は考えています。

　たとえばベートーヴェンの音楽を聴いて、われわれは人間を想像し、人間を理解しようとすることができます。これは絵画にも同様に言えます。しかし、人によっては「音楽とは音ではないか」「絵画とは色ではないか」「演劇のように生身（注2）の人間が出てこない」という人がいるかもしれません。そして「なぜそれが人間について想像させるのか」と疑問をもつ人もいるでしょう。

　私が言いたいことは、それが創られた音であり色であるということです。われわれが日常では感じられない音であり色なのです。にもかかわらず、というよりそれだからこそと言うべきでしょうが、われわれは思わずそれに注意を集中させられてしまうことがあります。これはいったい何なのかと。また、そうした音や色を創りだすために自分自身の全エネルギーを捧げる人間とはいったい何なのかと。

　音楽でも絵画でも文学でも、さらには演劇でも、すべて人間が創りだしたものです。そうした人間が創造したものを通して、われわれは日常で慣れ親しんだ考え方や見方とはちがったように人間を想像し、またそのことによって人間関係について考えることがあるのです。（中略）

　いままで多くの人々に励ましを与えてきた価値ある芸術作品は、多様な人間関係や社会を成り立たせている〈コミュニケーション・システム〉がわれわれに与える感受性や考え方を変更しうる力をもっています。そのためにわれわれは芸術家という人間の存在に、われわれの想像力を誘われたのであり、人間というものがそれに所属しないでは生きていけないような社会の在り方について考えさせられたのです。

（鈴木忠志『演劇とは何か』岩波書店による）

(注1) 感受性：外からの刺激を深く感じ取り、心に受けとめる能力
(注2) 生身：実際の体

66 ①人間関係の創造とは、どういうことか。
1 芸術を通して人間関係への理解を深めること
2 芸術を通して多様な人間関係を構築すること
3 芸術作品の作者の人間関係を想像すること
4 芸術作品の中の人間関係を読み解くこと

67 ②人間を想像し、人間を理解しようとするのはなぜか。
1 芸術を理解するには、その作品が創られた背景を知る必要があるから
2 絵画や音楽には複雑な人間模様が表現されていることが多いから
3 芸術は単なる音や色ではなく、創った人間と切り離せないものだから
4 偉大な芸術作品の作者は、複雑な境遇に生きた人が多いから

68 ③人間が創造したものに当てはまるものはどれか。
1 詩
2 宗教
3 本
4 インターネット

69 筆者は優れた芸術作品とはどのようなものだと考えているか。
1 社会制度やコミュニケーションの仕組みを変える力を持っているもの
2 その作者の生きた人生や社会について想像力を掻き立てられるもの
3 鑑賞する人がその世界に没頭し、日常を忘れることができるもの
4 人間や社会についての見方に新しい価値観をもたらしてくれるもの

問題13 右のページは、大学学生寮の入寮案内である。下の問いに対する答えとして最もよいものを、1・2・3・4から一つ選びなさい。

70 男子留学生のヤンさんは、ビジネス学部の1年に所属している。現在はアパートで一人暮らしをしているが、次年度からの入寮を希望している。

寮に関する希望は、トイレが自分の部屋にあることだ。なお、夕食は毎日アルバイト先で済ませている。ヤンさんにふさわしい寮はどれか。

1 A寮
2 B寮
3 C寮
4 D寮

71 ヤンさんは、入寮できるかどうかをどのように知ることができるか。

1 電話で学生事務室に問い合わせる
2 大学で発表される選考結果を見に行く
3 3月25日に結果を知らせるメールが届く
4 大学から選考結果を伝える郵便物が届く

平成25年度　○○大学　学生寮入寮案内

1．学生寮の概要

寮	A寮	B・C寮	D寮
入寮定員	男子学生：70名 女子学生：70名 （外国人留学生含む）	男子学生：100名 （B寮：学部1・2年生のみ） （C寮：学部3・4年生のみ）	男子学生：30名 （外国人留学生のみ）
部屋のタイプ	1人部屋	2人部屋	1人部屋
部屋の面積	13㎡	12㎡	11㎡
部屋の設備	・机、ベッド、ロッカー ・エアコン ・ミニキッチン 　（IHヒーター付） ・ユニットバス（トイレ付）	・机、ベッド、ロッカー ・エアコン	・机、ベッド、ロッカー ・エアコン ・ユニットバス（トイレ付）
共同設備	・談話室 ・面会室 ・洗濯室	・風呂、トイレ ・食堂 ・炊事スペース（台所、冷蔵庫、電子レンジあり） ・談話室、面会室 ・洗濯室	・食堂 ・炊事スペース（台所、冷蔵庫、電子レンジあり） ・談話室、面会室 ・洗濯室
経費／月	寄宿料：10,000円 光熱費等：約7,000円	寄宿料：3,000円 光熱費等：約4,000円 食費：25,000円	寄宿料：6,000円 光熱費等：約5,000円 食費：25,000円
特記事項	・インターネットは無料で利用可能 ・オール電化 ・自炊のみ	・インターネットは別途契約により利用可能 ・1日2食（朝夕）付き	・インターネットは別途契約により利用可能 ・1日2食（朝夕）付き

2．入寮出願方法

・所定の入寮願書を記入の上、願書に記載されている必要書類を添付し、下記問い合わせ先の住所に送付してください。
・入寮願書は本学ホームページからも取得可能ですが、出願は郵送のみといたします。
・出願は、平成25年3月20日（水）の消印まで有効とします。

3．入寮選考方法

・原則として、父母又は父母に代わって家計を支えている者の年間総所得額の低い順から入寮を許可します。
・A寮、D寮は、学部1・2年生を優先します。

4．入寮選考結果の通知方法

・出願者全員に、平成25年3月25日（月）に選考結果の通知書を発送いたします。
※同日に本学ホームページにも結果を掲載します。なお、電話や窓口での照会には応じかねます。

【学生寮に関する問い合わせ先】

○○大学 学生事務室（学生寮担当）
TEL：012-333-4444　　FAX：012-333-5555　　E-mail：gakuryo@maru-u.ac.jp
〒777-8888　○○県△△市××町2-3-4

模擬試験
第2回

N1
聴　解
（60分）

問題 1

問題1では、まず質問を聞いてください。それから話を聞いて、問題用紙の1から4の中から、最もよいものを一つ選んでください。

例

1 実習の日を変更する
2 田中さんに確認する
3 ゼミの全員に確認する
4 先生に連絡する

1番

1 ことば
2 食文化
3 身振り手振り
4 家のつくり

2番

1 火災が起きたことを知らせる
2 火災の有無を確認する
3 避難のための準備をする
4 安全な場所へ避難する

3番

1 ポスターの色をはっきりさせる
2 ポスターを離れた場所から見る
3 キャッチフレーズの字を大きくする
4 キャッチフレーズを変更する

4番

1 インターネットに接続する
2 CDをパソコンに挿入する
3 インストールを開始する
4 パソコンを再起動する

5番

1 容器の重さを軽くする
2 容器を持ちやすい形にする
3 容器のふたの種類を変える
4 容器の色を薄くする

6番

1 店の制服に着替える
2 年末年始に勤務できる日を伝える
3 店のメニューを覚える
4 レジの使い方を確認する

模擬試験 第2回

問題2

問題2では、まず質問を聞いてください。そのあと、問題用紙のせんたくしを読んでください。読む時間があります。それから話を聞いて、問題用紙の1から4の中から、最もよいものを一つ選んでください。

例

1　お金が準備できなかったから
2　友達の都合が悪くなったから
3　重要な仕事が入ったから
4　国内の方が気楽でいいから

1番

1　何度も丁寧に謝ること
2　お客さんの話をよく聞くこと
3　商品の質を向上させること
4　先輩に相談すること

2番

1 父の話がすべて嘘だったとわかったから
2 サークル活動やアルバイトをする時間があまりないから
3 まじめな学生が思っていたよりも少なかったから
4 真剣に勉強に取り組んでいる学生が一人もいないから

3番

1 気分転換ができること
2 友人が増えたこと
3 仕事の能力が上がったこと
4 健康的な食生活ができること

4番

1 新商品の開発
2 キャラクターの作成
3 テレビCMの作成
4 インターネット広告の作成

5番

1　2年生が1年生をしっかり指導していないから
2　2年生が1年生より先に帰ってしまったから
3　2年生がきちんと片付けをしなかったから
4　2年生がまじめに練習をしないから

6番

1　会社の製品が売れなくなったから
2　取引をしていた会社との関係が切れたから
3　会社がたくさんの借金を抱えていたから
4　得意先の会社が倒産したから

7番

1　個人情報を守るための法律がないこと
2　個人情報が手に入るサービスが増えたこと
3　よく考えないで個人情報を公開すること
4　インターネットのサービスが危険だということ

問題3

問題3では、問題用紙に何も印刷されていません。この問題は、全体としてどんな内容かを聞く問題です。話の前に質問はありません。まず話を聞いてください。それから質問とせんたくしを聞いて、1から4の中から、最もよいものを一つ選んでください。

― メモ ―

問題4

問題4では、問題用紙に何も印刷されていません。まず文を聞いてください。それから、それに対する返事を聞いて、1から3の中から、最もよいものを一つ選んでください。

― メモ ―

問題5

問題5では、長めの話を聞きます。この問題には練習はありません。メモをとってもかまいません。

1番、2番

問題用紙に何も印刷されていません。まず話を聞いてください。それから、質問とせんたくしを聞いて、1から4の中から、最もよいものを一つ選んでください。

― メモ ―

3番

まず話を聞いてください。それから、二つの質問を聞いて、それぞれ問題用紙の1から4の中から、最もよいものを一つ選んでください。

質問1

1　オーストラリア二都市周遊7日間
2　ガイド付きオーストラリア7日間
3　シドニーフリープラン5日間
4　格安シドニー5日間

質問2

1　オーストラリア二都市周遊7日間
2　ガイド付きオーストラリア7日間
3　シドニーフリープラン5日間
4　格安シドニー5日間

模擬試験 第3回

N1

言語知識(文字・語彙・文法)・読解

(110分)

模擬試験 第3回

問題1 ＿＿＿の読み方として最もよいものを、1・2・3・4から一つ選びなさい。

1 彼は料理の修業のためにフランスに行くことにした。
　　1　しゅごう　　　2　しゅぎょう　　　3　しゅうごう　　　4　しゅうぎょう

2 彼女のことは潔くあきらめよう。
　　1　こころよく　　2　いちじるしく　　3　はなはだしく　　4　いさぎよく

3 若者の消費行動を分析した。
　　1　ぶんせき　　　2　ぶんせつ　　　　3　ぶんき　　　　　4　ぶんきん

4 A国はB国からの援助の申し出を頑なに拒んでいる。
　　1　おがんで　　　2　はばんで　　　　3　こばんで　　　　4　ねたんで

5 ここは精密な機械を作る工場だ。
　　1　しんみつ　　　2　せいみつ　　　　3　きみつ　　　　　4　ちみつ

6 仕事の合間に少し体操をするとよい。
　　1　ごうま　　　　2　ごうかん　　　　3　あいま　　　　　4　あいかん

言語知識（文字・語彙・文法）

問題2 （　　）に入れるのに最もよいものを、1・2・3・4から一つ選びなさい。

7　アルバイト先の会社と（　　）して時給を上げてもらった。
　1　交流　　　　　2　交渉　　　　　3　交付　　　　　4　交代

8　これは（　　）な問題だから、人前で話さないほうがいい。
　1　ソフト　　　　2　ロマンチック　3　ルーズ　　　　4　デリケート

9　結婚したら、（　　）してお金を貯めようと思っている。
　1　統制　　　　　2　節制　　　　　3　倹約　　　　　4　要約

10　健康（　　）のために、毎日運動している。
　1　保管　　　　　2　整理　　　　　3　維持　　　　　4　抑制

11　事故の（　　）について、新聞が詳しく報じていた。
　1　経緯　　　　　2　経験　　　　　3　経歴　　　　　4　経路

12　喫煙によりがんになる危険（　　）が高くなる。
　1　性　　　　　　2　的　　　　　　3　面　　　　　　4　感

13　客からの問い合わせには、丁寧に（　　）しなければならない。
　1　接待　　　　　2　待遇　　　　　3　対応　　　　　4　反応

問題3 ＿＿＿の言葉に意味が最も近いものを、1・2・3・4から一つ選びなさい。

[14] あの人がいると、いつも話がややこしくなる。
1　つまらなく　　2　長く　　3　あいまいに　　4　複雑に

[15] 親は子供の将来を案じるものだ。
1　決める　　2　心配する　　3　変える　　4　無視する

[16] 現内閣は、世論を反映させた政策を行っているとはいえない。
1　一般の人の考え　　　　　2　専門家の考え
3　政治家の考え　　　　　　4　テレビや新聞の考え

[17] 佐藤先生はいつも弱い側の肩を持つ。
1　味方をする　　　　　　　2　歩くのを助ける
3　反対する　　　　　　　　4　ばかにする

[18] 申し込みの手順を間違えて、もう一度用紙に記入しなければならなくなった。
1　時期　　2　やり方　　3　相手　　4　場所

[19] 彼はそもそも、そういうことを言える立場ではない。
1　全部　　2　いつも　　3　最初から　　4　何となく

問題4 次の言葉の使い方として最もよいものを、1・2・3・4から一つ選びなさい。

[20] 配送する
1　デパートで買った家具をうちまで配送してもらった。
2　ミーティングの後、部長に報告のメールを配送した。
3　お世話になった先輩に感謝の気持ちを配送したい。
4　毎朝、子どもを幼稚園に配送してから出社している。

21 不備

1 夏の暑さで体の不備を訴える人が増えている。
2 睡眠時間の不備で体調を崩してしまった。
3 原子力発電の安全性に対して不備の声が出ている。
4 書類に不備があるので、もう一度提出してください。

22 推進する

1 政府は新しい宇宙計画を推進している。
2 ドアを推進して家の中に入った。
3 新しい部長に山田課長を推進した。
4 先生の好みを推進してお菓子を贈った。

23 でたらめ

1 部屋の中がでたらめなので誰にも見せられない。
2 ガラスが割れてでたらめになってしまった。
3 新聞にでたらめな内容の記事が書かれている。
4 この辺りは建物が多くてでたらめだ。

24 きっぱり

1 彼はうそをつかないきっぱりとした人間だ。
2 両親と彼の考えはきっぱりと違う。
3 シャワーを浴びて頭がきっぱりとした。
4 何度も借金を頼まれたが、彼はきっぱりと断った。

25 説得する

1 事故の状況について警察を説得した。
2 親を説得して留学に行かせてもらった。
3 先生は悪いことをした生徒をいつも説得した。
4 会議で自分の意見をみんなに説得した。

問題5 次の文の(　　)に入れるのに最もよいものを、1・2・3・4から一つ選びなさい。

26　入社1年目にして新プロジェクトのリーダーを(　　)異例の人事だ。
　　1　任されるとして　　　　　　　2　任せられるにあたって
　　3　任せられるにあって　　　　　4　任されるとは

27　女性はいつから周りに人がいるの(　　)、化粧をするようになったのだろうか。
　　1　もかまわず　　2　をものともせず　　3　をよそに　　4　もかかわらず

28　「差し支えなければ、こちらにお名前を(　　)。」
　　1　ご記入しますでしょうか
　　2　ご記入されますでしょうか
　　3　ご記入いただけますでしょうか
　　4　ご記入申し上げますでしょうか

29　うちの犬(　　)、だれに対してもしっぽを振ったりお腹を見せたりして、番犬として失格だな。
　　1　とすれば　　2　ともなれば　　3　ときたら　　4　とは

30　3年間このマンションに住んでいるが、隣の人とは(　　)、顔を合わせたこともない。
　　1　話したこともないばかりで
　　2　話したこともないどころか
　　3　話したことがないばかりでも
　　4　話したことがないどころではなく

31　この農家グループは、米や大豆の栽培(　　)、加工品の製造にも携わっている。
　　1　のかたわら　　2　にともなって　　3　のはんめん　　4　もかねて

32　お金をもらってやる(　　)、中途半端なことはできない。
　　1　からして　　2　からでは　　3　からに　　4　からには

33 あんないい加減な連中に、こんな大役が（　　　）。
1　務まるものか　　　　　　　　2　務めるものだ
3　務めるものを　　　　　　　　4　務まるものだが

34 （会社で）
A「鈴木さんの送別会、どこにしましょうか。鈴木さんが気に入ってくれそうなところにしたいと思うんですが。」
B「そうねえ、お好み焼き屋（　　　）、どうかしら？　テーブルを囲んでみんなでわいわいできて、いいじゃない？」
1　ならば　　　2　にすると　　　3　っていうのは　　4　といえば

35 （大学で）
A「この前出てた求人、受けるんでしょ？」
B「もちろん。めったにないチャンスを逃す（　　　）。」
1　どころではないからね
2　ほどではないからね
3　わけにはいかないからね
4　ことにはいかないからね

模擬試験 第3回

問題6 次の文の ★ に入る最もよいものを、1・2・3・4から一つ選びなさい。

(問題例)

あそこで ＿＿＿ ＿＿＿ ★ ＿＿＿ は山田さんです。

1　テレビ　　　2　見ている　　　3　を　　　4　人

(解答のしかた)

1．正しい文はこうです。

あそこで ＿＿＿ ＿＿＿ ★ ＿＿＿ は山田さんです。
　　　　　1 テレビ　　3 を　　2 見ている　　4 人

2．★ に入る番号を解答用紙にマークします。

(解答用紙)　(例)　① ● ③ ④

---

36 ホームを歩きながら携帯電話などを操作する ＿＿＿ ＿＿＿ ★ ＿＿＿ 接触事故につながりかねない。

1　の　　　　　2　電車と　　　　3　は　　　　4　こと

37 今回の実験が上手く ＿＿＿ ＿＿＿ ★ ＿＿＿ をあきらめることはない。

1　といって　　2　いかなかった　　3　研究自体　　4　から

38 転職先としては、これまでの経験を ＿＿＿ ＿＿＿ ★ ＿＿＿ 希望している。

1　キャリアアップを　　　　　2　図れる
3　生かしつつ　　　　　　　　4　会社を

[39] 何とか ____ ____ ★ ____ 、将来に対して不安がないわけではない。

1　ものの　　　　2　ことは　　　　3　就職する　　　4　できた

[40] うちは ____ ____ ★ ____ ことはできるでしょうか。

1　留守がち　　　2　共働きで　　　3　ですが　　　　4　ペットを飼う

問題7 次の文章を読んで、41 から 45 の中に入る最もよいものを、1・2・3・4から一つ選びなさい。

私たちは何のために趣味を持つのだろうか。

ある人は、仕事に行き詰まったときに、一心不乱に好きなことに打ち込むことで、 41 、気持ちを前向きに切り替えることができるという。一つのことに集中することで、後ろ向きだった気持ちがリセットされるのだ。またある人は、仕事以外の仲間との付き合いもまた気分転換の一つだと考える。立場も年齢も異なる相手とのたわいもないおしゃべりがなかなか 42 。

このように聞くといいことずくめの趣味だが、心に留めておきたい点がある。まずは、新しいことを始める時の高揚した気分のまま、勢いでお金を使わないことだ。例えばスポーツの場合、道具や専用のウェア、施設使用料など、いろいろな費用がかかる。気をつけないと、特に入門者は、お金をどんどん無駄に使うことにもなる。 43-a 、気軽に始められそうなウォーキングでさえ、意気込んで高いシューズを買ったものの、数回履いただけでその後はたんすの肥やしになる、というのは 43-b 。新たに趣味を始める場合、初めから一気に投資するのではなく、少ない出費でも楽しめる方法をまず見つけ、徐々にレベルアップをしていくのが賢明なのだ。
(注1)

もう一点は、はなから完璧を求めようとしないことだ。テレビでマラソン観戦をして、いざ自分も挑戦しようと思った場合、最初から長い距離に 44 。途中で足が痙攣してしまうかもしれないし、暑い夏なら脱水症状に陥る危険性だってある。そんな事態を避けるためには、短時間のジョギングから体を順応させていくのがよい。まずは周りの景色を楽しめるぐらいのペースから行い、身体が慣れるのに合わせて、徐々に距離を伸ばしていくのだ。
(注2)

ともあれ、趣味になり得るかどうかは、それを心地よい気持ちでやっているかどうかによるのであり、無理に趣味を持とうと 45 のはいうまでもない。

(注1) たんすの肥やし：使わずに、ずっとたんすにしまってある物
(注2) 痙攣：筋肉がひとりでに伸びたり縮んだりして、震えるようになる

41
1　浮いた気持ちを沈め　　　　2　沈んだ気持ちから解放され
3　落ち着いた気持ちをなくし　4　落ち込んだ気持ちを思い出し

42
1　いいというのだ　2　いいほどだ　3　いいためだ　4　いいことになる

43
1　a　その結果　　／　b　あるわけでもない話だ
2　a　といっても　／　b　あることは間違いない話だ
3　a　たしかに　　／　b　あるものでもない話だ
4　a　一見　　　　／　b　ありがちな話だ

44
1　チャレンジこそすべきだ　　　2　チャレンジするだけのことだ
3　チャレンジしてほしいのだ　　4　チャレンジすることはない

45
1　意気込む必要がある　　2　意識しない必要などない
3　意識する必要がある　　4　意気込む必要などない

問題8　次の(1)から(4)の文章を読んで、後の問いに対する答えとして最もよいものを、1・2・3・4から一つ選びなさい。

(1)

　"仲が良い家庭"は理想的なようで、一歩間違うと"崩壊した家庭"につながる危うさがある。特に、父親が、社会の厳しさを教え、子どもに社会化を促すという父親本来の役割を果たせないと問題である。子どもの社会的自立には、実際の父親ではなくても「父親」の役目を果たす人が不可欠である。

　ある人が家庭を航海中の船に例えて言った。嵐が来たら、子どもがいくら「こっち来て」と頼んでも、子どもを放っておいて必死に舵取りを続けなければ船は沈む。それなのに、舵取り(注)を放棄して子どもの機嫌を取る親が多いと。

　このような「父親」の不在が、最近、日本の家庭で増えているように感じるのは気のせいだろうか。

(注)舵取り：舵（船の進む方向を決める道具）を操作して、船を一定の方向に進ませること

[46] ここでいう「父親」の不在とはどういうことか。
1　父親が、仕事で忙しく、家庭にいる時間が少ないこと
2　家庭が崩壊し、父親が家からいなくなること
3　父親が、子どもに甘い顔をするばかりで、自分の立場を忘れること
4　思春期になった子どもが父親を無視するようになること

(2)

　日本は今、空前のジョギングブームで、美容のために始める若い女性が急増中である。では、ジョギングはどんな状態で行うのがよいのか。医師によると、あまり空腹の状態で走るのはよくないということだ。血糖値が低い状態で運動すると、脂肪がうまく燃焼せず、ダイエットの効果が上がらない。それどころか、命にかかわることさえある。ジョギング中、急に力が抜けたような感じになったり、冷や汗が出たり、胸がドキドキしてきたら、ただちに走るのをやめ、何か食べると回復する場合があるとのことだ。

47　筆者は、空腹の状態でジョギングをするのはなぜよくないと言っているか。
　　1　空腹の状態だと血糖値が低いので、脂肪が燃えないばかりか、体に非常に危険だから
　　2　空腹の状態でジョギングすると、運動後に何かを食べたときに血糖値が急上昇するから
　　3　空腹の状態では脂肪が燃焼せず力が出ないため、急に倒れたりすることがあるから
　　4　空腹の状態でジョギングすると、体温調節や心臓の機能に異常が起こって危険だから

(3)

　人はなぜ働くのか。誰もが自問するはずだ。働くことで自分の人生をより豊かにし、かつ社会貢献をするため——そう考える人は多いだろう。だが、私は労働とはまず、生活の糧を得るための行為であると考える。いくら人生を豊かに、社会貢献をと望んでも、雨露をしのぐことができず、その日の糧にありつけなければ、それは実現しない。まずは自分の生活を不足のないものにするための対価として、労働をする。家族と食卓を囲んだり、好きなことに打ち込んだりする時間が持てるようになれるのは、この対価の積み重ねによる。これが、私の考える働くことの意義である。

[48] 筆者の考える働くことの意義と合うのはどれか。
1 働くことを通して、自分の人生を豊かにし、社会貢献をする
2 労働はお金のためであって、人生を豊かにしたり、社会貢献をしたりするためではない
3 自分の生活基盤を整えるのに必要なお金を得るために働く
4 家族や趣味など、自分が大切にしているものにお金を使いたいから働く

(4)

　価値観が多様化し、常識と言われるものまでもが個人レベルで異なるような現代社会で、それぞれがそれぞれの価値観や常識を押し付けてもトラブルが起きるばかりである。

　とはいえ、トラブルが起きないように相手に合わせているだけでは、真に互いを理解し合うことはできまい。考えを伝え合い、そのそれぞれを認めつつ、新しい価値体系を構築する。つまり、コミュニケーションを通じて互いに納得できる妥協点を見いだすことが、求められてくるのである。

[49] 筆者の考えに合うものはどれか。

1　考え方が違ったら、人間関係にひびが入らないように、できるだけ相手の考え方を優先する。

2　信頼関係を築くためには、一時的に関係が悪くなっても、お互いに素直に意見を言ったほうがいい。

3　考え方の違いを認めた上で、双方が新たな価値基準を持つようになることが望ましい。

4　人はそれぞれ違う価値観や判断基準を持つため、完全に互いを理解し合うことは難しい。

問題9 次の(1)から(3)の文章を読んで、後の問いに対する答えとして最もよいものを、1・2・3・4から一つ選びなさい。

(1)
　戦前までは、健康ということは病気をしないことでした。腸チフス、赤痢などの急性伝染病や、肺結核、脚気など慢性疾患が多かった時代には、このような病気の治療と予防がまず大切で、そういう病気にかからないことで健康が意識されていました。しかし戦後、病気の様相も変り、人々の意識も変化して、健康の概念もより幅広く積極的な意味になってきました。

　今日もっとも多くの人々から支持されている「健康」の定義は、次のようなものです。すなわち国際連合の部局の一つに、世界保健機関 (WHO, World Health Organization) という機関があります。WHOの「国際疾患分類」はわが国の行政にも採用され、日々の医療や医療統計に役立っています。このWHOは次のように「健康」を定義しています。

　「健康とは、単に病気が存在しないというだけではなくて、身体的・精神的ならびに社会的に充分に良好な状態をいう」。

　つまり健康を身体と精神、さらに社会的な面の三つに分けて、それぞれの要素を重視した概念を提唱しています。この定義は、人間が身体的のみでなく、精神的ならびに社会的存在であることをよく理解した、すぐれた表現であるといえるでしょう。

（吉川政己『老いと健康』岩波書店による）

50 戦前における健康な状態とは、どのような状態を指すか。
1　心身ともにすこやかな状態であること
2　心身のみならず、社会的にも良い状態であること
3　心の状態はともかく、体に病気が存在しない状態であること
4　身体に病気がなく、社会的にも充分に良好な状態であること

51 戦前と戦後で健康の定義が変化したのには、どんな背景があるか。
1　病気の種類や医療の内容に変化が生じたため、人々の健康に対する考え方が多様になったこと
2　急性伝染病の特効薬が開発され、人々が簡単に死ななくなったこと
3　世界保健機関(WHO)が設立され、健康の定義を行い、世界に知らしめたこと
4　医療技術の発達により急性伝染病や慢性疾患の患者が減り、人々が病気を恐れなくなったこと

52 筆者は、なぜWHOの「健康」の定義がすぐれた表現であると考えるか。
1　人間が社会的存在であることをきちんとふまえているから
2　人間が生きる上で、病気でないことが何よりも大切だという考えだから
3　心と体のバランスが大切で、そのために社会の安定が欠かせないという考えだから
4　病気にならないことこそが大切だとして、病気予防を最も重視しているから

(2)

　高山病に苦しむ男を、TV劇のなかで、俳優が演じれば、「やらせ」にならない。はじめからつくり事(注)が約束だからである。同じ場面を、ネパール高原のNHK特別番組のなかで、撮影隊の一人が演じれば、「やらせ」になる。(中略)「やらせ」であるかないかを区別するのは、場面についての約束であって、場面のつくり方、でき上がった場面そのもの、その場面を見る人の反応ではない。TV劇でも、特別番組(「ドキュメンタリー」)でも、撮影の現場では、誰もほんとうに高山病ではない。場面はみせかけである。見る人は、一人の男がほんとうに高山病に苦しんでいるかのように信じて、みせかけの画面を眺め、主人公に同情したり、なるほどネパールの自然はきびしいと思ったりする。いずれにしても見る人はだまされるのであり、(中略)一方がだまされたくてだまされるのに対して、他方がだまされたくないのにだまされるというちがいがあるにすぎない。

　しかしネパール高原の「ドキュメンタリー」について、視聴者は、一体何にだまされたくないのか。撮影隊の一人が高山病にかかったかどうかは、個別的な事実の問題である。その事実を通して番組のいいたかったのは、おそらくネパールの自然のきびしさだろうが、ネパールの自然がほんとうにきびしいかどうかは、また別の問題である。だまされたくないのは、個別的な事実についてか、その事実の意味、さらには番組全体のいおうとした事についてか。そもそも「ドキュメンタリー」というもののあらかじめの約束は、そのどちらに係(かか)るのか。もし後者に係(かか)るとすれば、NHKのネパール高原番組は、<u>必ずしも視聴者をだましたとはいえない</u>。もし前者に係(かか)るとすれば、そもそも視聴者をだまさない「ドキュメンタリー」は、容易にあり得ないだろう。

(加藤周一「やらせ」について『夕陽妄語』朝日新聞社による)

(注)つくり事：作り話、うそ

53 TV劇と特別番組の「やらせ」について、本文と合っているものはどれか。
1 特別番組で高山病の様子が流されても、見る人は感情移入できない。
2 うその場面を使った特別番組は、ドキュメンタリーとは呼べない。
3 TV劇はフィクションなので、高山病の場面は「やらせ」とはいえない。
4 どちらの場合も、視聴者は男性が高山病になったと信じてしまう。

54 筆者によると、この特別番組が視聴者に伝えたかったのは何か。
1 撮影隊の一人が高山病にかかったという真実
2 ネパールの自然は厳しいということ
3 自然の厳しさが人体に与える影響
4 視聴者をだますつもりはないということ

55 必ずしも視聴者をだましたとはいえないとあるが、なぜか。
1 制作者独自の主張に基づいて作られているから
2 実際に現地に行って撮影した映像を使っているから
3 ドキュメンタリーは人によって見方や受け取り方が違うから
4 番組の主張そのものはほぼ真実と思われるから

(3)

　国内の優れた農業従事者が、その取り組みを発表する第61回全国農業コンクール全国大会（毎日新聞社、島根県主催）が、同県出雲市で開かれた。（中略）

　最優秀の毎日農業大賞を獲得した「やさか共同農場」は、同県浜田市の山あいにある。コメや大豆などの有機栽培とみそなどの食品製造を組み合わせ、ブランド化に成功した。通信販売などの販路も開拓し、年間2億円以上を売り上げる。

　40年前に4人で始めた農場は法人化し、現在は35人が働く。農業研修生も受け入れ、若者の就農も支援している。（中略）

　政府が、昨秋まとめた農業を再生・強化するための基本方針は、第1次産業の農業に、第2次、第3次産業である製造・販売業を組み合わせた「6次産業化」の推進、営業規模の拡大、若い世代の参入促進を柱にしている。

　「やさか」の取り組みは、そうした強化策を先取りした好例だ。山あいの過疎地、冬には降雪で農作業もままならない。そんな悪条件も、創意工夫で、乗り越えられることを実績で示した。

　大会では、多くの発表者が6次産業化の取り組みに触れた。生産者が、民間企業とも連携しながら加工・製造、販売まで一貫して手がけることで、「安全・安心」といったメッセージを伝え、消費者の支持を獲得したケースが目立った。

（毎日新聞2012年7月30日付朝刊による）

56 この農業コンクールについて、本文の説明と合っているものはどれか。
1 中小規模の農場を支援するためのコンクールである。
2 年間の営業実績を大幅に伸ばした取り組みが評価される。
3 全国の農業の関係機関や専門家による研究発表の場である。
4 大賞の取り組みは、国の方針に合ったいい事例としても高く評価できる。

57 創意工夫とあるが、「やさか」の場合は具体的にどのようなことか。
1 天候の影響の少ない作物を栽培する
2 自然や農業を売りに魅力的な町づくりを行う
3 若者の参加を多くして新しい手法を取り入れる
4 強みのある商品を作り通信販売をする

58 今回のコンクールではどのような事例の発表が多かったと筆者は述べているか。
1 生産だけでなく、製造や販売にまで事業を広げたもの
2 生産者情報を明記して、消費者に安心感を与える方法をとったもの
3 有機栽培に徹底的にこだわり素材の安全性をアピールしたもの
4 地域のネットワークを利用して、流通や販売の範囲を拡大したもの

問題10　次の文章を読んで、後の問いに対する答えとして最もよいものを、1・2・3・4から一つ選びなさい。

　純粋な自分に強い憧れを覚える現代の若者たちは、かえって自分を見失い、自己肯定感を損なうという事態におちいっている。そのため、人間関係に対する依存度がかつてよりも格段に高まっている。しかも、自分の本質を生まれもった固有のものと感じているため、付きあう相手もそれと合致した人でなければならないと考えるようになっている。こうして、互いの関係も狭い範囲で固定化される傾向にある。ところが、特定の関係だけに過剰に期待をかけすぎると、それは逆に息苦しいものともなる。

　さらに、自分の純粋さを脱社会的に求めるメンタリティは、そのまなざしを自分の内へと向ける傾向が強いため、他人と共有できる部分がどんどん減っていき、欲求の対象や価値観もおのずと多様化してくる。ある似かよった傾向を示す若者たちの一群をさして、かつては「○○族」のような括り方をすることが可能だったが、昨今ではそこまでの強い同質性が見られなくなり、「○○系」といった緩やかな括り方しかできなくなっている。その結果、狭く固定化された人間関係の内部においてすら、ものごとの判断をめぐって相手と衝突する可能性が高くなっている。
　　　　　　　　　　　　　　　　　　　　　　　　　　　　　①

　多くの人びとの関心が似かよっており、ほぼ同じ方向を見ていた時代なら、たとえ各人が自由にふるまったとしても、そこには重なり合う部分が少なくなかった。しかし、それぞれが内閉的に自分らしさを追求するようになると、互いの価値観や欲求の内実も多様化する。（中略）

　このように、純粋な自分に対する憧れはかつて以上に高まっているのに、それをサポートするための人間関係を維持する条件のほうはかつて以上に厳しくなっている。互いの理解可能性を素朴に信じて、それを前提に人間関係を築いていくことはもはやできない。「分かり合えない感」と若者たちが表現するように、むしろ理解不可能性を前提とした人間関係を築いていく技術の必要性が高まっている。彼らは、じゅうぶんには分かりあえないかもしれないことを、じゅうぶんに分かりあっている。「優しい関係」とは、このようなアイロニカルな状況を乗り切るために、互いの対立の回避を最優先の課題として、彼らが身につけた人間関係のテクニックである。（中略）
　　　　　　　　　　　　　　　　　　　　　　　　　　　　　　　　②

　大人たちの目には、現在の若者たちの人間関係が、コミュニケーション能力の不足から希薄化しているように映るかもしれない。しかし、実態はむしろ逆であって、かつてより葛藤の火種が多く含まれるようになった人間関係をスムーズに営んでいくために、高度なコミュニケーション能力を駆使して絶妙な距離感覚をそこに作り出そうとしている。

　　　　　　（土井隆義『友だち地獄―「空気を読む」世代のサバイバル』筑摩書房による）

（注１）まなざし：視線
（注２）括り方：まとめ方
（注３）アイロニカルな：皮肉な
（注４）希薄化：薄くなること
（注５）葛藤の火種：ここでは、人と人との対立の原因
（注６）絶妙な：とても上手で、すぐれていること

[59] 現代の若者の特徴として、筆者があげているものはどれか。
1 浅く広く人間関係を築こうとする
2 自分らしさを社会の中で見出そうとする
3 内向きで、他者との関係に広がりがない
4 確固とした自分らしさを持つ人と付き合いたがる

[60] ①衝突する可能性が高くなっているのはなぜか。
1 欲求の対象や価値観がさまざまだから
2 それぞれが自分の内面に意識を向けるから
3 若者のタイプ間の違いが大きくなっているから
4 人間関係が狭く閉じられているから

[61] 筆者は、現代に必要な②人間関係のテクニックはどのようなものだと述べているか。
1 背景が異なる人とも互いに理解し合えると信じること
2 自分らしさを自覚しつつ、それを人に見せないようにすること
3 人に対して思いやりの精神を持ち、トラブルを起こさないこと
4 他人を理解し合えないものとみなして人とつきあうこと

[62] 筆者の述べていることと合っているものはどれか。
1 現代の人間関係は、昔よりも深いつながりによって成り立っている。
2 現代の若者は、複雑な人間関係を微妙な距離を保ちながら巧みに生きている。
3 人間関係が昔より希薄化したため、若者のコミュニケーション能力が低下した。
4 現代の若者は、他人に優しく接することで、もめ事を回避しようとする。

問題11 次のAとBは、高齢者の在宅介護についての専門家の意見である。後の問いに対する答えとして最もよいものを、1・2・3・4から一つ選びなさい。

A

リハビリテーションという言葉からは、身のまわりのことを行う能力の再獲得をはかる「機能訓練」がまず連想されます。高齢者を対象とした在宅リハビリでは、家庭介護の中で自然に訓練を取り入れること、合併症が出ないよう水分や栄養をとりながら機能回復を目指すことが必要です。ただし、リハビリの本来の目標は、本人がもとの「社会生活」を取り戻すことにあります。それには、身体的な機能の回復ばかりではなく、周囲の人々の受け入れと、必要十分な介護サービスの提供という社会的インフラが不可欠です。ところが、現行の保険制度では在宅介護の家庭は相対的に不利益すらこうむることになり、家族介護者の負担が軽減されているとはとても言えません。こうした社会面の問題が解決されなければ、多くの人が望むような在宅リハビリは普及しないでしょう。

B

高齢者の場合、医師からリハビリの指示があれば、できるだけ早期にリハビリを始めたほうが回復も早いです。これまでの研究から、手足を動かしたり、車いすに座らせたりするだけでもいい刺激になることや、介助のやりすぎがかえって機能回復を妨げることがわかっています。毎日の生活の中でできることをやり、寝たきりを防いでいくことが肝心です。
介護やリハビリに関する不安があれば、主治医、ケアマネジャー、作業療法士などの専門家に助言をあおぎ、介護のノウハウを指南してもらいましょう。介護を一時的に代行する訪問介護サービスなども増えています。責任感や世間体から介護を休むことに抵抗を感じる方もいるようですが、家族のあり方が変わり、わずか一～二人で在宅介護が行われる時代です。長く続けるには、息抜きは絶対に必要です。

63 AとBのどちらでも触れられている情報はどれか。

1 リハビリテーションの定義
2 介護保険制度の問題点
3 在宅リハビリの注意点
4 専門家による支援内容

64 高齢者のリハビリについて、AとBはそれぞれどのような見方をしているか。

1 Aは身体的回復と精神的回復に注目し、Bは精神的回復に注目している。
2 Aは身体的回復と社会復帰に注目し、Bは身体的回復に注目している。
3 AもBも身体的回復と精神的回復に注目している。
4 AもBも身体的回復と社会復帰に注目している。

65 介護者が得られる社会的支援について、AとBはどのように述べているか。

1 Aは保険制度や介護サービスが改善されるべきだと述べ、Bは現在の支援サービスにより介護者の負担を減らすことができると述べている。
2 Aは社会全体で介護問題を解決すべきだと述べ、Bは家族の形態などを含めて支援サービスを見直す必要があると述べている。
3 Aは保険制度の改悪により在宅介護がますます厳しくなったと述べ、Bは介護者が積極的に支援サービスを利用すればメリットがあると述べている。
4 Aは在宅介護者には専門家による心理的サポートが必要だと述べ、Bは在宅サービスを受けやすくする社会的な仕組みが必要だと述べている。

問題12 次の文章を読んで、後の問いに対する答えとして最もよいものを、1・2・3・4から一つ選びなさい。

　診察室でときどき、「この先、生きていても、これ以上いいことはなさそうな気がする」「やりたいことはだいたいやってしまったので、ここで人生が終わってもまあまあ満足」という言葉を聞くことがある。それも、七十代、八十代の人の口からではなく、二十代や三十代の若い層からだ。（中略）

　おそらく彼らは、「何と何をやったから、もう自分の人生に悔いはない」と具体的な決意を述べたいのではなく、「なんとなく楽しい時期はもうすぎてしまった」という気分を表現したいだけなのだろう。（中略）

　では、この「終わった」という感覚はどこからやって来るのか。おそらく原因には個人的な要素が強いものと社会的な要素が強いもの、ふたつが考えられるだろう。まず個人的なほうだが、いまの若い人たちには「楽しいのは十代のうちだけ」という価値観が広がっているように思える。最近、フィギュアスケートやゴルフなどで注目を集めた選手は十代。繁華街にあるファッションビルでいちばん元気がいいのも、十代をターゲットにした商品が扱われているショップだ。逆に「おとなにならなければできないこと」は減り、お金さえあれば、十代が高級な寿司屋やレストランに出入りしても、誰にも文句は言われない。そういう状況にあって、「ハタチを過ぎれば、もう楽しいことはない」と考える人が増えてもおかしくない。

　しかし、若い人の「終わった」という感覚の背景には、もっと社会的な要因もあるのではないだろうか。すなわち、高度経済成長期や文化の爛熟期などを過ぎて、バブル崩壊後の長期不況を経た現在、日本全体に「楽しい時期は終わった」という感覚が広まっているのではないか。冷蔵庫やクーラーもまだなく、誰もが物質的な豊かさが心の豊かさに通じる、と信じて疑わなかった昭和の時代を懐かしむ映画やドラマが盛んに作られていることからも、多くの人が「昔のほうが今より楽しかった」と思っているという雰囲気が伝わってくる。リアルタイムで昭和の時代を経験していない今の十代でさえ、「どうやら元気のいい時代は終わったらしい」と感じているのではないだろうか。

　あえて言えば、「もういいことはない」と言っている人が年をとったのではなく、その人がいる<u>社会自体が年をとった</u>、ということなのかもしれない。社会や国にも年齢があるのかどうか、についてはいろいろな議論もあるだろうが、「途上国」から「成長国」、そして「安定国」へ、という国の歩んできたプロセスは、人間のライフコースになぞらえることができる。（中略）いまさら経済力を高め、他国との競争に勝ってさらなる豊かさを追求するよりも、"よい老い方"

を模索して実行し、後に続く国の手本になる方が得策だと思うのだが、そういう声もなかなか大きくならない。「美しい国へ」が「美しく老いる国へ」と方向転換できれば、「もう楽しいことはないから希望もない」という若者の虚無感もむしろ軽くなるのではないだろうか。

(香山リカ『「悩み」の正体』岩波書店より)

66 若い人たちが「終わった」という感覚を持つ個人的要因として、本文の内容と合うのどれか。
1　10代を過ぎればもう大人で、そうなれば、あとはつらいことしかないということ
2　自分がやりたいと思った目標は、もうすべてかなえてしまったこと
3　大人になればできる特別なことなど、ほとんどないと思っていること
4　自分がやりたいと思ったことは、もうすでに誰かがやってしまったということ

67 若い人たちが「終わった」という感覚を持つ社会的要因として、本文の内容と合うのはどれか。
1　経済成長のピークを過ぎ、日本にはこの先、楽しいことはないという雰囲気があること
2　若い人から高齢者まで誰もが無気力で、国全体に活気がないこと
3　日頃から大人たちが若い人に対して「楽しい時期は過ぎた」と言っていること
4　他国との経済の競争に疲れ、国全体が意欲や目標を失っていること

68 社会自体が年をとったとあるが、それはどのような状態か。
1　少子高齢化が進み、高齢者の割合が大きくなっている状態
2　バブル経済が終わり、社会全体が衰退の時期にある状態
3　長い不況の中、若者の安定志向が強まり、若者らしさが失われていく状態
4　すでに前に成長期を終え、社会全体にかつてのような活力がない状態

69 筆者は、日本がこれからどうあるべきだと述べているか。
1　「安定」から再び「成長」へと転じられるよう、若い人ががんばる日本社会にするべき
2　「美しい国」を目指して、街をきれいに保ち、マナーを守るよう努力するべき
3　若い頃の日本に戻り、他国に負けない経済発展と豊かさを追求していくべき
4　国や社会の成熟を目指しながら、後に続く国に日本が手本になるよう模索すべき

問題13 右のページは、大学が学生向けに出したアルバイトの案内である。下の問いに対する答えとして最もよいものを、1・2・3・4から一つ選びなさい。

70 大学院生のトーさん（25歳）は、シンガポール人で日本語と英語と中国語が話せるが、通訳や翻訳の経験はない。夏休みの8月10日から2週間、一時帰国をする予定である。月曜日と水曜日と金曜日は午後5時から9時までボランティアをしている。車やバイクの免許は持っていない。トーさんができるアルバイトはいくつあるか。

1　2つ
2　4つ
3　6つ
4　8つ

71 トーさんが一時帰国から戻って応募できるアルバイトは何か。

1　メガネ店のチラシ配り
2　翻訳会社の翻訳スタッフ
3　ホテルのスタッフ
4　ファミレスのホールスタッフ

学生アルバイト情報

2012.7.15 更新

	職種	給与	応募資格	勤務期間	勤務時間
1	【メガネ店】 チラシ配り	時給700円	18歳以上ならどなたでも	出勤日 要相談	土日の午前9時 ～11時
2	【市立美術館】 英語による来場者の 誘導・案内	時給930円	・20歳以上 ・英語と日本語が話せる方	7/20-9/30 ※出勤日要相談	
3	【中華料理店】 ホールスタッフ	時給720円	・16歳以上 ・8/12-15に勤務できる方	今すぐ ※出勤日要相談	
4	【翻訳会社】 日本語の文章を英語 に翻訳する仕事	時給1,200円	・英語と日本語が話せる方 ・翻訳の経験がある方	今すぐ ※出勤日要相談	
5	【ピザチェーン店】 ピザの配達	時給800円	・自動二輪または原動機付 き自転車の免許を持って いる方	今すぐ ※出勤日要相談	
6	【コンビニ】 平日夜間スタッフ	時給1,000円	・20歳以上 ・男性 ・週3日以上入れる方	要相談	平日 20:00-5:00
7	【ホテル】 中国人のお客様専用の 対応スタッフ	時給1,000円	・中国語と日本語が話せる 方 ・指定の期間すべて出勤で きる方	8/1-31 ※週休2日	① 7:00-15:00 ② 14:00-22:00 ①②のいずれか
8	【野外コンサート】 セキュリティスタッフ	日給10,000円	・18歳以上 ・4回のうち2回以上出ら れる方	7/29、8/4、 8/14、8/29	15:00-22:00
9	【ファミレス】 ホールスタッフ	時給700円	・16歳以上 ・週5日以上入れる方	今すぐ	17:00-23:00
10	【ビル管理会社】 清掃スタッフ	日給3,000円	・16歳以上 ・10月末までの土日すべ て入れる方	今すぐ	土日のみ 10:00-13:00
11	【食品工場】 弁当の箱詰め	時給650円	・16歳以上	8/1-7の間で 3日以上	① 15:00-18:00 ② 18:00-0:00

模擬試験
第3回

N1

聴解
（60分）

問題1

問題1では、まず質問を聞いてください。それから話を聞いて、問題用紙の1から4の中から、最もよいものを一つ選んでください。

例

1 実習の日を変更する
2 田中さんに確認する
3 ゼミの全員に確認する
4 先生に連絡する

1番

```
        申込書

ア ──  田中まりこ
イ ──  株式会社 ABC 営業部
ウ ──  東京都○○市○○町 1-2-3
エ ──  03-1234-5678
オ ──  m-tanaka@abc.def.jp
```

1　ア　イ
2　ア　イ　ウ
3　ア　イ　エ
4　ア　イ　ウ　エ　オ

2番

1　会計課に行く
2　銀行でお金を振り込む
3　木村さんに連絡する
4　本田さんに電話する

3番

1 申請書を書く
2 役所へ行く
3 家族に連絡する
4 書類を提出する

4番

1 筆記試験を受ける
2 履歴書を書く
3 待合室で待機する
4 面接を受ける

5番

1 黒のタイツを借りる
2 肌色のストッキングを買う
3 美容院を予約する
4 髪のセットを手伝う

6番

1 周辺機器の修理をする
2 ケーブルをつなぎなおす
3 他のパソコンを調べる
4 代わりのパソコンを用意する

模擬試験 第3回

問題2

問題2では、まず質問を聞いてください。そのあと、問題用紙のせんたくしを読んでください。読む時間があります。それから話を聞いて、問題用紙の1から4の中から、最もよいものを一つ選んでください。

例

1 お金が準備できなかったから
2 友達の都合が悪くなったから
3 重要な仕事が入ったから
4 国内の方が気楽でいいから

1番

1 今までの仕事の経験が生かせるから
2 自分が住んでいる地域に貢献したいから
3 いろいろな人と関わることができるから
4 案内している地域の新しい一面を発見できるから

2番

1 きれいで広いこと
2 設備が整っていること
3 嫌な臭いがしないこと
4 いつもスタッフがいること

3番

1 高齢者福祉を充実させること
2 若者の雇用を確保すること
3 子育て世代を呼び込むこと
4 医療にかかる予算を削減すること

4番

1 長くサークル活動を続けること
2 チームをまとめること
3 勝つために練習をすること
4 楽しく活動すること

5番

1 価格が安いこと
2 電力を節約できること
3 臭いを消す機能があること
4 乾燥を防ぐ機能があること

6番

1 外国人選手を獲得したこと
2 スタミナをつけたこと
3 選手層が厚くなったこと
4 若手を育成したこと

7番

1 色彩が豊かであること
2 見る人に力を与えること
3 日常の風景をリアルに描いていること
4 いろいろな見方ができること

問題3

問題3では、問題用紙に何も印刷されていません。この問題は、全体としてどんな内容かを聞く問題です。話の前に質問はありません。まず話を聞いてください。それから質問とせんたくしを聞いて、1から4の中から、最もよいものを一つ選んでください。

― メモ ―

問題4

問題4では、問題用紙に何も印刷されていません。まず文を聞いてください。それから、それに対する返事を聞いて、1から3の中から、最もよいものを一つ選んでください。

— メモ —

問題5

問題5では、長めの話を聞きます。この問題には練習はありません。メモをとってもかまいません。

1番、2番

問題用紙に何も印刷されていません。まず話を聞いてください。それから、質問とせんたくしを聞いて、1から4の中から、最もよいものを一つ選んでください。

― メモ ―

3番

まず話を聞いてください。それから、二つの質問を聞いて、それぞれ問題用紙の1から4の中から、最もよいものを一つ選んでください。

質問1

1　ペットボトルのふたのリサイクル
2　生ごみのリサイクル
3　布のリサイクル
4　紙のリサイクル

質問2

1　ペットボトルのふたのリサイクル
2　生ごみのリサイクル
3　布のリサイクル
4　紙のリサイクル

日本語能力試験 完全模試 N1 解答用紙
第1回 言語知識（文字・語彙・文法）・読解

名前 Name

〈ちゅうい Notes〉

1. くろいえんぴつ(HB、No.2)でかいてください。
   (ペンやボールペンではかかないでください)
   Use a black medium soft (HB or No.2) pencil.
   (Do not use any kind of pen.)
2. かきなおすときは、けしゴムできれいにけしてください。
   Erase any unintended marks completely.
3. きたなくしたり、おったりしないでください。
   Do not soil or bend this sheet.
4. マークれい Marking examples

よいれい Correct Example	わるいれい Incorrect Examples
●	⊘ ⊗ ◯ ◐ ⊙ ①

問題 1

1	① ② ③ ④
2	① ② ③ ④
3	① ② ③ ④
4	① ② ③ ④
5	① ② ③ ④
6	① ② ③ ④

問題 2

7	① ② ③ ④
8	① ② ③ ④
9	① ② ③ ④

問題 3

10	① ② ③ ④
11	① ② ③ ④
12	① ② ③ ④
13	① ② ③ ④

問題 4

14	① ② ③ ④
15	① ② ③ ④
16	① ② ③ ④
17	① ② ③ ④
18	① ② ③ ④
19	① ② ③ ④

20	① ② ③ ④
21	① ② ③ ④
22	① ② ③ ④
23	① ② ③ ④
24	① ② ③ ④
25	① ② ③ ④

問題 5

26	① ② ③ ④
27	① ② ③ ④
28	① ② ③ ④
29	① ② ③ ④
30	① ② ③ ④
31	① ② ③ ④
32	① ② ③ ④
33	① ② ③ ④
34	① ② ③ ④
35	① ② ③ ④

問題 6

36	① ② ③ ④
37	① ② ③ ④
38	① ② ③ ④
39	① ② ③ ④
40	① ② ③ ④

問題 7

41	① ② ③ ④
42	① ② ③ ④
43	① ② ③ ④
44	① ② ③ ④
45	① ② ③ ④

問題 8

46	① ② ③ ④
47	① ② ③ ④
48	① ② ③ ④
49	① ② ③ ④

問題 9

50	① ② ③ ④
51	① ② ③ ④
52	① ② ③ ④
53	① ② ③ ④
54	① ② ③ ④
55	① ② ③ ④
56	① ② ③ ④
57	① ② ③ ④
58	① ② ③ ④

問題 10

59	① ② ③ ④
60	① ② ③ ④
61	① ② ③ ④
62	① ② ③ ④

問題 11

63	① ② ③ ④
64	① ② ③ ④
65	① ② ③ ④

問題 12

66	① ② ③ ④
67	① ② ③ ④
68	① ② ③ ④
69	① ② ③ ④

問題 13

| 70 | ① ② ③ ④ |
| 71 | ① ② ③ ④ |

日本語能力試験 完全模試 N1 解答用紙
第1回 聴解

名前 Name

〈ちゅうい Notes〉

1. くろいえんぴつ(HB、No.2)でかいてください。
   (ペンやボールペンではかかないでください)
   Use a black medium soft (HB or No.2) pencil.
   (Do not use any kind of pen.)
2. かきなおすときは、けしゴムできれいにけしてください。
   Erase any unintended marks completely.
3. きたなくしたり、おったりしないでください。
   Do not soil or bend this sheet.
4. マークれい Marking examples

よいれい Correct Example	わるいれい Incorrect Examples
●	⊘ ○ ○ ◐ ① ◯

問題 1

	1	2	3	4
例	①	●	③	④
1	①	②	③	④
2	①	②	③	④
3	①	②	③	④
4	①	②	③	④
5	①	②	③	④
6	①	②	③	④

問題 2

	1	2	3	4
例	①	②	●	④
1	①	②	③	④
2	①	②	③	④
3	①	②	③	④
4	①	②	③	④
5	①	②	③	④
6	①	②	③	④
7	①	②	③	④

問題 3

	1	2	3	4
例	①	●	③	④
1	①	②	③	④
2	①	②	③	④
3	①	②	③	④
4	①	②	③	④
5	①	②	③	④
6	①	②	③	④

問題 4

	1	2	3
例	①	●	③
1	①	②	③
2	①	②	③
3	①	②	③
4	①	②	③
5	①	②	③
6	①	②	③
7	①	②	③
8	①	②	③
9	①	②	③
10	①	②	③
11	①	②	③
12	①	②	③
13	①	②	③

問題 5

		1	2	3	4
1		①	②	③	④
2		①	②	③	④
3	(1)	①	②	③	④
	(2)	①	②	③	④

日本語能力試験 完全模試 N1 解答用紙

第2回 言語知識（文字・語彙・文法）・読解

名前 Name

〈ちゅうい Notes〉

1. くろいえんぴつ(HB、No.2)でかいてください。
   (ペンやボールペンではかかないでください)
   Use a black medium soft (HB or No.2) pencil.
   (Do not use any kind of pen.)

2. かきなおすときは、けしゴムできれいにけしてください。
   Erase any unintended marks completely.

3. きたなくしたり、おったりしないでください。
   Do not soil or bend this sheet.

4. マークれい Marking examples

よいれい Correct Example	わるいれい Incorrect Examples
●	⊘ ⊖ ◯ ◐ ◑

問題 1

1	①	②	③	④
2	①	②	③	④
3	①	②	③	④
4	①	②	③	④
5	①	②	③	④
6	①	②	③	④

問題 2

7	①	②	③	④
8	①	②	③	④
9	①	②	③	④
10	①	②	③	④
11	①	②	③	④
12	①	②	③	④
13	①	②	③	④

問題 3

14	①	②	③	④
15	①	②	③	④
16	①	②	③	④
17	①	②	③	④
18	①	②	③	④
19	①	②	③	④

問題 4

20	①	②	③	④
21	①	②	③	④
22	①	②	③	④
23	①	②	③	④
24	①	②	③	④
25	①	②	③	④

問題 5

26	①	②	③	④
27	①	②	③	④
28	①	②	③	④
29	①	②	③	④
30	①	②	③	④
31	①	②	③	④
32	①	②	③	④
33	①	②	③	④
34	①	②	③	④
35	①	②	③	④

問題 6

36	①	②	③	④
37	①	②	③	④
38	①	②	③	④
39	①	②	③	④
40	①	②	③	④

問題 7

41	①	②	③	④
42	①	②	③	④
43	①	②	③	④
44	①	②	③	④
45	①	②	③	④

問題 8

46	①	②	③	④
47	①	②	③	④
48	①	②	③	④
49	①	②	③	④

問題 9

50	①	②	③	④
51	①	②	③	④
52	①	②	③	④
53	①	②	③	④
54	①	②	③	④
55	①	②	③	④
56	①	②	③	④
57	①	②	③	④
58	①	②	③	④

問題 10

59	①	②	③	④
60	①	②	③	④
61	①	②	③	④
62	①	②	③	④

問題 11

63	①	②	③	④
64	①	②	③	④
65	①	②	③	④

問題 12

66	①	②	③	④
67	①	②	③	④
68	①	②	③	④
69	①	②	③	④

問題 13

70	①	②	③	④
71	①	②	③	④

日本語能力試験 完全模試 N1 解答用紙

第2回 聴 解

名前 Name

〈ちゅうい Notes〉

1. くろいえんぴつ(HB、No.2)でかいてください。
   (ペンやボールペンではかかないでください)
   Use a black medium soft (HB or No.2) pencil.
   (Do not use any kind of pen.)
2. かきなおすときは、けしゴムできれいにけしてください。
   Erase any unintended marks completely.
3. きたなくしたり、おったりしないでください。
   Do not soil or bend this sheet.
4. マークれい Marking examples

よいれい Correct Example	わるいれい Incorrect Examples
●	⊘ ⊙ ⊕ ◑ ◐ ○

問題 1

	1	2	3	4
例	●	②	③	④
1	①	②	③	④
2	①	②	③	④
3	①	②	③	④
4	①	②	③	④
5	①	②	③	④
6	①	②	③	④

問題 2

	1	2	3	4
例	①	●	③	④
1	①	②	③	④
2	①	②	③	④
3	①	②	③	④
4	①	②	③	④
5	①	②	③	④
6	①	②	③	④
7	①	②	③	④

問題 3

	1	2	3	4
例	①	②	●	④
1	①	②	③	④
2	①	②	③	④
3	①	②	③	④
4	①	②	③	④
5	①	②	③	④
6	①	②	③	④

問題 4

	1	2	3
例	①	●	③
1	①	②	③
2	①	②	③
3	①	②	③
4	①	②	③
5	①	②	③
6	①	②	③
7	①	②	③
8	①	②	③
9	①	②	③
10	①	②	③
11	①	②	③
12	①	②	③
13	①	②	③

問題 5

		1	2	3	4
1		①	②	③	④
2		①	②	③	④
3	(1)	①	②	③	④
	(2)	①	②	③	④

日本語能力試験 完全模試 N1 解答用紙
第3回 言語知識（文字・語彙・文法）・読解

名前 Name

日本語能力試験　完全模試 N1　解答用紙

第3回　聴　解

名前
Name

問題 1

	①	②	③	④
例	①	●	③	④
1	①	②	③	④
2	①	②	③	④
3	①	②	③	④
4	①	②	③	④
5	①	②	③	④
6	①	②	③	④

問題 2

	①	②	③	④
例	①	②	●	④
1	①	②	③	④
2	①	②	③	④
3	①	②	③	④
4	①	②	③	④
5	①	②	③	④
6	①	②	③	④
7	①	②	③	④

問題 3

	①	②	③	④
例	①	②	●	④
1	①	②	③	④
2	①	②	③	④
3	①	②	③	④
4	①	②	③	④
5	①	②	③	④
6	①	②	③	④

問題 4

	①	②	③
例	①	●	③
1	①	②	③
2	①	②	③
3	①	②	③
4	①	②	③
5	①	②	③
6	①	②	③
7	①	②	③
8	①	②	③
9	①	②	③
10	①	②	③
11	①	②	③
12	①	②	③
13	①	②	③

問題 5

		①	②	③	④
1		①	②	③	④
2		①	②	③	④
3	(1)	①	②	③	④
	(2)	①	②	③	④

〈ちゅうい Notes〉

1. くろいえんぴつ(HB、No.2)でかいてください。
   (ペンやボールペンではかかないでください)
   Use a black medium soft (HB or No.2) pencil.
   (Do not use any kind of pen.)
2. かきなおすときは、けしゴムできれいにけして
   ください。
   Erase any unintended marks completely.
3. きたなくしたり、おったりしないでください。
   Do not soil or bend this sheet.
4. マークれい Marking examples

よいれい Correct Example	わるいれい Incorrect Examples
●	⊘ ○ ◐ ① ◉